?! 歴史漫画タイムワープシリーズ 別巻

学習指導要領 完全対応 50人

重要人物で覚える日本の歴史

イラスト：イセケヌ　監修：山口 正（筑波大学附属中学校元副校長）

はじめに

　現在のわたしたちを取り巻く様々な環境や問題は、昨日今日できたものではありません。長い歴史の流れの中で、少しずつ形づくられてきたもので、そこには、先人たちが何を考え、何を行ってきたのかが色濃く反映されています。
　小学校の『学習指導要領』では、日本を動かしてきた先人たちの中から、特に以下の42人のはたらきを通して歴史を学習するよう指導されています。

- ●卑弥呼
- ●聖徳太子
- ●小野妹子
- ●中大兄皇子
- ●中臣鎌足
- ●聖武天皇
- ●行基
- ●鑑真
- ●藤原道長
- ●紫式部
- ●清少納言
- ●平清盛
- ●源義経
- ●源頼朝
- ●北条時宗
- ●足利義満
- ●足利義政
- ●雪舟
- ●ザビエル
- ●織田信長
- ●豊臣秀吉
- ●徳川家康
- ●徳川家光
- ●近松門左衛門
- ●歌川広重
- ●本居宣長
- ●杉田玄白
- ●伊能忠敬
- ●ペリー
- ●勝海舟
- ●木戸孝允
- ●西郷隆盛
- ●大久保利通
- ●明治天皇
- ●福沢諭吉
- ●大隈重信
- ●板垣退助
- ●伊藤博文
- ●陸奥宗光
- ●東郷平八郎
- ●小村寿太郎
- ●野口英世

　この本では、左記の人物の他に、日本の歴史を勉強する上で重要な以下の8人を加えて紹介します。

- ●空海
- ●親鸞
- ●足利尊氏
- ●武田信玄
- ●徳川吉宗
- ●坂本龍馬
- ●平塚らいてう(ちょう)
- ●東条英機

　各人物については、その人物がどのようなことを行い、それが日本の歴史にどのような影響を与えたのかという内容を中心に書かれています。また、その人物が生きた時代の特徴や、事件などについても紹介しています。
　この50人を学ぶことによって、歴史の流れが自然に頭に入ってくるよう工夫されていますので、中学受験の勉強にも役立ちます。
　この本を通して多くの子どもたちが、日本という国について理解を深めてくれれば幸いです。

筑波大学附属中学校元副校長
山口 正

※本文は、2015年から17年にかけて発行した『週刊マンガ日本史 改訂版』(全101号)を基にまとめたものです。

日本史年表

※人物の並びは学習指導要領に準じていますが、解説の都合上、一部変えています。（紫式部、本居宣長、明治天皇）

紀元前 ⇄ 紀元後

時代	年	できごと
旧石器時代	4～3万年前	この頃、日本列島に新人（ホモサピエンス）がすみつくようになる（日本の後期旧石器時代の始まり）。
縄文時代	約1万6千年前	この頃、土器が作られ始める（縄文時代の始まり）。
縄文時代	約5000年前	この頃、大規模な貝塚が作られる。
弥生時代	約2400年前	この頃、九州の北部で、中国大陸から伝わった水田による米作りが本格化する。
弥生時代	57年	奴国の王が中国の後漢に使いを送り、皇帝から「漢倭奴国王」の金印をもらう。
弥生時代	239年	倭国の女王・卑弥呼01が中国の魏に使いを送り、皇帝から「親魏倭王」の金印をもらう。
古墳時代／飛鳥時代	3世紀後半～4世紀前半	この頃、大和地方（今の奈良県）の豪族たちを中心に、ヤマト政権（ヤマト王権）が成立する。
古墳時代／飛鳥時代	391年	倭国（ヤマト政権）の軍隊が、朝鮮半島の百済、新羅を攻撃する。
古墳時代／飛鳥時代	478年	倭王武（雄略天皇）が中国の宋に使いを送り、安東大将軍などの位をもらう。
古墳時代／飛鳥時代	538年	百済から日本に仏教が伝わる。（552年説もあり。）
古墳時代／飛鳥時代	593年	初の女性天皇・推古天皇が、聖徳太子02（厩戸王子）を摂政にする。
古墳時代／飛鳥時代	603年	聖徳太子らによって、「冠位十二階」が定められる。
古墳時代／飛鳥時代	604年	聖徳太子らによって、「十七条の憲法」が定められる。
古墳時代／飛鳥時代	607年	小野妹子03が遣隋使として、中国の隋に送られる。
古墳時代／飛鳥時代	645年	中大兄皇子04、中臣鎌足05らによって、蘇我入鹿が暗殺される（乙巳の変）。「大化の改新」が始まる。
古墳時代／飛鳥時代	663年	朝鮮半島の白村江で新羅と戦って敗れる（白村江の戦い）。

※弥生時代の始まりを2900～2800年前とする説もあります。

時代	年	できごと
飛鳥時代	672年	壬申の乱が起きる。翌年、勝った大海人皇子が天武天皇として即位。
	701年	「大宝律令」が定められる。
奈良時代	710年	元明天皇が平城京に都を移す（奈良時代の始まり）。
	723年	自分で新しく開墾した土地は3世代にわたって私有できる「三世一身法」が定められる。
	724年	⑥ 聖武天皇⑥が即位する。
	741年	聖武天皇が、全国に国分寺と国分尼寺をつくるように命令する。
	743年	自分で新しく開墾した土地は永久に私有できる「墾田永年私財法」が定められる。 大仏造立の詔が出され、行基⑦が資金集めに協力する。 ⑦
	752年	東大寺の奈良の大仏が完成する。 ⑧
	753年	唐から、僧侶の鑑真⑧がやってくる。
平安時代	794年	桓武天皇が平安京に都を移す （平安時代の始まり）。
	805年	最澄が日本で天台宗を開く。 ⑨
	806年	空海⑨が日本で真言宗を開く。
	894年	菅原道真の意見で遣唐使が中止される。
	939年	平将門が関東で乱を起こす（承平・天慶の乱。～941年）。
	1001年頃	この頃、清少納言⑪の『枕草子』が完成する。 ⑩
	1013年頃	この頃、紫式部⑫の『源氏物語』が完成する。
	1016年	藤原道長⑩が後一条天皇の摂政になる （この頃から摂関政治の全盛期）。 ⑪ ⑫
	1051年	朝廷軍と東北の豪族・安倍氏が戦う （前九年合戦、～62年）。
	1083年	源義家が東北の豪族・清原氏と戦う（後三年合戦、～87年）。
	1086年	白河上皇が院政を始める。
	1156年	天皇の後継ぎをめぐり、崇徳上皇方と後白河天皇方が戦う（保元の乱）。 ⑬
	1159年	平清盛⑬と源義朝が戦う（平治の乱）。
	1167年	平清盛が太政大臣になる（平氏の全盛期）。

時代	年	できごと
平安時代	1175年	法然が浄土宗を開く。
	1180年	源頼朝が平氏打倒の兵をあげる。
	1185年	源義経⑭が壇ノ浦で平氏を滅ぼす。
鎌倉時代	1185年	源頼朝⑮が全国に守護・地頭を置く。鎌倉幕府が開かれる。
	1191年	栄西が日本で臨済宗を広める。
	1192年	源頼朝が征夷大将軍になる。
	1219年	3代将軍・源実朝が暗殺されて、頼朝の血脈が絶える。
	1221年	後鳥羽上皇が討幕の兵を挙げる（承久の乱）。承久の乱に勝った幕府が、京都に六波羅探題を置く。
	1224年	親鸞⑯が浄土真宗を開く。
	1227年	道元が曹洞宗を開く。
	1253年	日蓮が日蓮宗を開く。
	1268年	北条時宗⑰が執権になる。
	1274年	元（中国）が日本に攻めてくる（文永の役）。一遍が時宗を開く。
	1281年	元が再び日本に攻めてくる（弘安の役）。
	1333年	鎌倉幕府が滅ぶ。後醍醐天皇による「建武の新政」が始まる。
室町時代（南北朝時代 1336〜1392年）	1336年	後醍醐天皇が吉野（奈良県）に朝廷を作り、朝廷が京都の北朝と吉野の南朝に分かれる。
	1338年	足利尊氏⑱が征夷大将軍になって、幕府（室町幕府）を開く。
	1368年	足利義満⑲が3代将軍になる。
	1392年	足利義満が南北朝を1つにする。
	1397年	足利義満が金閣をつくる。
	1467年	将軍の後継ぎ問題などから、全国の守護大名を巻き込んだ内戦が始まる（応仁の乱、〜77年）。雪舟㉑が明（中国）に渡る。
	1489年	この頃、足利義政⑳の銀閣が完成する。
	1543年	種子島に鉄砲が伝来したとされる。

時代	年	できごと
室町時代	1549年	ザビエル㉒によって、日本にキリスト教が伝わる。
	1560年	織田信長㉔が、今川義元を破る（桶狭間の戦い）。
	1561年	武田信玄と上杉謙信が川中島で4度目の対決。
	1568年	織田信長が、足利義昭とともに京都に入り、義昭を将軍にする。
	1573年	織田信長が、将軍・足利義昭を追放し、室町幕府が滅ぶ。
安土桃山時代	1582年	織田信長が明智光秀に攻められて自害する（本能寺の変）。
	1585年	豊臣秀吉㉕が関白になる。
	1590年	豊臣秀吉が小田原城を攻め、北条氏を滅ぼす。
	1592年	豊臣秀吉が朝鮮半島に出兵する（文禄の役）。
	1597年	豊臣秀吉が再び朝鮮半島に出兵する（慶長の役）。
	1600年	関ケ原の戦いで徳川家康㉖が勝つ。
江戸時代	1603年	徳川家康が征夷大将軍になって、江戸に幕府を開く。
	1615年	大坂夏の陣で、徳川家康が豊臣家を滅ぼす。
	1623年	徳川家光㉗が3代将軍になる。
	1637年	九州で、島原・天草一揆が起きる。
	1641年	平戸にあったオランダ商館が出島に移る（「鎖国」の完成）。
	1689年	松尾芭蕉が『奥の細道』の旅に出る。
	1703年	近松門左衛門㉘の『曽根崎心中』の初演。
	1716年	8代将軍・徳川吉宗㉙による「享保の改革」が始まる。
	1774年	杉田玄白㉜、前野良沢らが、西洋の医学書『ターヘルアナトミア』を翻訳し、『解体新書』のタイトルで出版する。
	1782年	天明の飢饉が起きる（〜87年）。
	1787年	老中・松平定信による「寛政の改革」が始まる。
	1798年	本居宣長㉛の『古事記伝』が完成する。
	1821年	伊能忠敬㉝の「大日本沿海輿地全図」が完成する。

時代	年	できごと
江戸時代	1833年	天保の飢饉が起きる（〜36年）。 歌川広重30が「東海道五十三次」を描き始める
	1841年	老中・水野忠邦による「天保の改革」が始まる。
	1853年	アメリカのペリー34が浦賀に来航する。
	1854年	ペリーが再び来航し、「日米和親条約」が結ばれる。
	1858年	「日米修好通商条約」が結ばれる。 大老・井伊直弼が、開国に反対する者を厳しく取り締まり始める（安政の大獄）。
	1860年	井伊直弼が、江戸城の桜田門の外で水戸浪士らによって暗殺される（桜田門外の変）。 勝海舟36が咸臨丸でアメリカに出発する。
	1866年	土佐の坂本龍馬35らの仲立ちで、薩摩藩と長州藩が倒幕のために手を結ぶ（薩長連合）。
	1867年	明治天皇38が即位。15代将軍・徳川慶喜が朝廷に政権を返上する（大政奉還）。
明治時代	1868年	新政府軍と旧幕府軍の間で、鳥羽・伏見の戦いが起きる（戊辰戦争の始まり）。
	1871年	藩が廃止され、代わって県が置かれる（廃藩置県）。 岩倉具視、木戸孝允37、大久保利通40らが欧米視察に出発する。
	1872年	福沢諭吉41が『学問のすゝめ』を出版する。 新橋・横浜間で日本初の鉄道が開通する。
	1874年	板垣退助43らが「民撰議員設立建白書」を提出して、国会の開設を訴える。
	1877年	西郷隆盛39ら旧薩摩藩士が、明治政府に反乱を起こす（西南戦争）。
	1885年	伊藤博文44が初代内閣総理大臣になる。
	1889年	「大日本帝国憲法」が発布される。
	1894年	日清戦争が始まる（〜95年）。 陸奥宗光45が領事裁判権の撤廃に成功。
	1898年	大隈重信42が内閣総理大臣になる（初の政党内閣）。
	1902年	日英同盟が結ばれる。
	1904年	日露戦争が始まる（〜05年）。

時代	年	できごと
明治時代	1905年	東郷平八郎46率いる連合艦隊がロシアのバルチック艦隊に勝利（日本海海戦）。
	1910年	韓国を併合する。
	1911年	小村寿太郎47が関税自主権の回復に成功。不平等条約が撤廃される。平塚らいてう48が「青鞜」を創刊する。
大正時代	1914年	第1次世界大戦が始まる（～18年）。野口英世49がロックフェラー研究所正員になる。
	1920年	国際連盟が発足して、日本も加盟する。
	1923年	関東大震災が起きる。
昭和時代	1931年	満州の日本軍（関東軍）が鉄道爆破事件を起こす（満州事変の始まり）。
	1932年	首相の犬養毅らが暗殺される（五・一五事件）。
	1933年	日本が国際連盟を脱退する。
	1936年	青年将校らがクーデター未遂事件を起こす（二・二六事件）。
	1937年	日中戦争が始まる（～45年）。
	1939年	第2次世界大戦が始まる（～45年）
	1940年	日本とドイツ、イタリアが同盟を結ぶ（日独伊三国同盟）。
	1941年	東条英機50が内閣総理大臣になる。日本軍がハワイの真珠湾を攻撃し、太平洋戦争が始まる（～45年）。
	1945年	東京大空襲。広島・長崎に原爆が投下される。日本が戦争に敗れる。
	1946年	日本国憲法が公布される。
	1951年	サンフランシスコ平和条約を結び、日本は占領下からの独立を回復する。
	1956年	日本の国際連合加盟が認められる。
	1972年	沖縄が返還される。
平成時代	1995年	阪神・淡路大震災、地下鉄サリン事件が起きる。
	2009年	自民党が選挙で大敗して、民主党政権が誕生する。
	2011年	東日本大震災が起きる。
	2012年	民主党が選挙で大敗して、自民党が政権を取り戻す。

もくじ

はじめに …………………………………… 2
日本史年表 ………………………………… 4

弥生時代～飛鳥時代 …… 11
01 卑弥呼 ………………………… 12
02 聖徳太子 ……………………… 16
03 小野妹子 ……………………… 20
04 中大兄皇子 …………………… 24
05 中臣鎌足 ……………………… 28
まとめ（弥生時代～飛鳥時代）…… 32

奈良時代～平安時代 …… 33
06 聖武天皇 ……………………… 34
07 行基 …………………………… 38
08 鑑真 …………………………… 42
09 空海 …………………………… 46
10 藤原道長 ……………………… 50
11 清少納言 ……………………… 54
12 紫式部 ………………………… 58
13 平清盛 ………………………… 62
14 源義経 ………………………… 66
まとめ（奈良時代～平安時代）…… 70

鎌倉時代～室町時代 …… 71
15 源頼朝 ………………………… 72
16 親鸞 …………………………… 76
17 北条時宗 ……………………… 80
18 足利尊氏 ……………………… 84
19 足利義満 ……………………… 88
20 足利義政 ……………………… 92
21 雪舟 …………………………… 96
22 ザビエル ……………………… 100
23 武田信玄 ……………………… 104
まとめ（鎌倉時代～室町時代）…… 108

安土桃山時代～江戸時代 …… 109
24 織田信長 ……………………… 110
25 豊臣秀吉 ……………………… 114
26 徳川家康 ……………………… 118
27 徳川家光 ……………………… 122
28 近松門左衛門 ………………… 126
29 徳川吉宗 ……………………… 130
30 歌川広重 ……………………… 134
31 本居宣長 ……………………… 138
32 杉田玄白 ……………………… 142
33 伊能忠敬 ……………………… 146
34 ペリー ………………………… 150
35 坂本龍馬 ……………………… 154
36 勝海舟 ………………………… 158
まとめ（安土桃山時代～江戸時代）…… 162

近現代 …… 163
37 木戸孝允 ……………………… 164
38 明治天皇 ……………………… 168
39 西郷隆盛 ……………………… 172
40 大久保利通 …………………… 176
41 福沢諭吉 ……………………… 180
42 大隈重信 ……………………… 184
43 板垣退助 ……………………… 188
44 伊藤博文 ……………………… 192
45 陸奥宗光 ……………………… 196
46 東郷平八郎 …………………… 200
47 小村寿太郎 …………………… 204
48 平塚らいてう ………………… 208
49 野口英世 ……………………… 212
50 東条英機 ……………………… 216
まとめ（近現代）………………… 220

さくいん ………………………… 221

弥生時代〜飛鳥時代

今から2400年ほど前、中国大陸から伝わった米作りが本格化し、弥生時代が始まった。やがて古墳時代になると、ヤマト政権が誕生し、各地の豪族を支配するようになる。そして、飛鳥時代に入り、大王（天皇）中心の国づくりが始まった。

弥生時代

卑弥呼
？年〜248？年

飛鳥時代

聖徳太子　　小野妹子　　中大兄皇子　　中臣鎌足
574年〜622年　7世紀前半頃　626年〜671年　614年〜669年

01 卑弥呼（ひみこ）

「魏志倭人伝（ぎしわじんでん）」に記（しる）された謎（なぞ）の女王（じょおう）

活躍（かつやく）した時代（じだい）：弥生時代（やよいじだい）
生没年（せいぼつねん）：？～248？年（ねん）

三角縁神獣鏡（さんかくぶちしんじゅうきょう）
縁（ふち）を三角形（さんかっけい）の模様（もよう）がとりまき、神（かみ）や獣（けもの）の絵（え）が書（か）かれた青銅製（せいどうせい）の鏡（かがみ）。魏（ぎ）から卑弥呼（ひみこ）に贈（おく）られた鏡（かがみ）という説（せつ）や、日本（にほん）で作（つく）られたものという説（せつ）がある。

勾玉（まがたま）
縄文時代（じょうもんじだい）から古墳時代（こふんじだい）にかけて作（つく）られていた、身（み）に付（つ）けたり、祭祀（さいし）に使（つか）ったりするアクセサリー。

時代（じだい）の流（なが）れ
今（いま）から2400年（ねん）ほど前（まえ）、中国大陸（ちゅうごくたいりく）から伝（つた）わった米作（こめづく）りが本格化（ほんかくか）した。人々（ひとびと）は水田（すいでん）を作（つく）って米（こめ）を育（そだ）て、その周（まわ）りにムラをつくって暮（く）らすようになった。やがてムラが集（あつ）まって、クニができていった。そして弥生時代（やよいじだい）の始（はじ）まりから数百年後（すうひゃくねんご）、多（おお）くのクニグニが争（あらそ）う中（なか）、1人（ひとり）の女王（じょおう）が誕生（たんじょう）する。

弥生時代

卑弥呼

卑弥呼の人物像

　卑弥呼は**倭国**の女王。どんな人物だったのかについては謎が多い。中国の歴史書**「魏志倭人伝」**には次のように書かれている。
「今から200年ほど前の日本は、小さな**クニ**グニがたくさんあり、お互いに争っていた。やがて争いに疲れた30数カ国の人々が相談して、1人の巫女を女王に立てると、争いが収まった」
　この女王こそが卑弥呼である。卑弥呼は、邪馬台国というクニに住み、鬼道によって倭国を治めたという。多くの兵士に守られ、高い壁で囲まれた宮殿に住み、ほとんど人前に出なかった。弟だけが卑弥呼に直接会うことができ、卑弥呼の言葉は、この弟から人々に伝えられたという。
　239年に、当時中国の北部を支配していた魏という国に使いを送り、「親魏倭王」の称号と金印をもらった。しかし、3世紀の半ばに狗奴国との戦いの最中に亡くなり、大きな墓に葬られた。卑弥呼の後は男の王が継いだが、再び争いが激しくなったので、卑弥呼の一族の娘で13歳の壱与を女王にすると争いが収まったという。
　ちなみに、別の中国の歴史書には、卑弥呼は180年頃に倭国の女王になったと書かれている。これが本当だとすると、卑弥呼は60年以上も長い間女王の座にいたことになる。

 キーワード

▶**倭国**
当時、日本という名前はまだなかった。当時の中国の人々は日本のことを倭、または倭国と呼んだ。やがて日本の人々も自分たちの住む「日本」をこう呼ぶようになった。

▶**「魏志倭人伝」**
正式には「『三国志』魏書東夷伝倭人条」という。卑弥呼が生きた時代と同じ、今から1700年前に書かれた中国の歴史書で、当時の日本の姿を知るための貴重な史料。

▶**クニ**
弥生時代にあった、国家としてまとまる前の段階の地域的な集団。国と区別するために「クニ」あるいは「くに」と表現されることが多い。

卑弥呼が得意とした鬼道って何だ？

「魏志倭人伝」に、「卑弥呼は鬼道で民衆を惑わした」という文がある。この文は、現在のところ、卑弥呼が鬼道で国を治めたという意味に解釈されている。

鬼道というと、魔術のようなものをイメージさせる言葉だが、具体的にどのようなものだったのかは、「魏志倭人伝」には書かれていない。

いくつかの説があるが、もっとも有力なのが、神に祈りをささげ、「いつ米作りを始めたらいいか、いつ戦争を始めたらいいか」などのお告げを神に聞いた（占いをした）ことが鬼道だと言う説。

弥生時代の遺跡からは、占いに使った動物の骨や、占いをしていると思われる絵が書かれた土器などが多く見つかっている。そのため、弥生時代には力を持った巫女が、占いを行って重要な決定をすることがよくあったと考えられている。

「ひみこ」は「日御子＝日の御子（巫女）」とも考えられることから、卑弥呼が祀った神は太陽だったという人もいるが、定かではない。

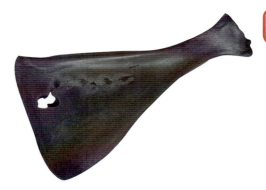

▲弥生時代に広く行われた占い「卜骨」に使われた動物の骨。イノシシやシカの骨を焼いてできたひび割れの形を見て、吉凶を占ったと考えられている

日本の歴史から消えた卑弥呼？

卑弥呼と邪馬台国の存在は、中国の歴史書にしか書かれていない。その頃の日本（倭）人が書いた文章は存在せず、現存するもっとも古い日本の歴史書『古事記』でも、卑弥呼から400年以上も後に作られたものだ。そして、『古事記』には、卑弥呼も邪馬台国の名も出てこない。長い年月の間に忘れ去られてしまったのだろうか。

もっと知りたい
幻の邪馬台国はどこにある？

弥生時代　卑弥呼

　卑弥呼がいたという邪馬台国はどこにあったのだろう？　多くの研究者や歴史ファンがこの疑問に挑んできた。下の地図のように、いくつもの候補地が挙げられている。中には日本列島ではなく、なんとハワイやエジプトにあったのではないかという人までいる。

　長い間続いている「邪馬台国論争」だが、いまだに「邪馬台国はここだ！」という結論は出ていない。「魏志倭人伝」の記述があいまいなので、それをどう解釈するかで、数多くの候補地が生まれてしまうからだ。今のところ最も有力視されているのが、「近畿説」と「九州説」だ。どちらも弥生時代の大規模な遺跡が数多くある地域で、古くから候補地とされてきた。しかし、どちらの説も長所と短所があって、決め手に欠けてきた。

　そんななか、最近脚光を浴びているのが、奈良県にある纒向遺跡。宮殿跡と思われる大きな建物の跡や、以前から卑弥呼の墓ではないかと言われていた纒向遺跡の中にある箸墓古墳が、最新の年代測定法で卑弥呼と同じ時代に造られたことが分かってきたからだ。しかし、決定的な証拠はないため、論争はまだまだ続きそうだ。

　卑弥呼は中国の魏に使いを送り、「親魏倭王」と刻まれた金印をもらったという。これが発見されれば、「邪馬台国論争」に決着がつくかもしれない。

邪馬台国の候補地

石川県説／岩手県説／長野県説／近畿説／岡山県説／千葉県説／静岡県説／愛媛県説／徳島県説／九州説

豆知識

　弥生時代には、銅鏡や銅鐸など、青銅を材料にした青銅器が使われていた。現在、博物館などで遺跡から出てきた青銅器をみると、緑にくすんだ色をしている。これはさびてしまったためで、青銅器本来の色ではない。出来たての青銅器は、まるで黄金のように輝いていたのだ。

15

02 古代日本の天才政治家
聖徳太子(しょうとくたいし)

活躍した時代：飛鳥時代
生没年：574〜622年

冠(かんむり)

聖徳太子は、冠位十二階という、位によって冠の色を変える制度をつくったが、聖徳太子自身は皇族だったため、冠位十二階は適用されなかったようだ。

時代の流れ

女王・卑弥呼の時代から100年後。現在の奈良県大和地方の豪族たちが連合して「ヤマト政権(ヤマト王権)」が誕生した。ヤマト政権のリーダーは大王(後の天皇)と呼ばれていた。やがて、日本初の女帝・推古天皇が誕生し、後の時代に聖徳太子と呼ばれる、厩戸王子を摂政に任命する。

聖徳太子の人物像

聖徳太子は用明天皇の皇子で、名を厩戸王子という。また、豊聡耳皇子とも呼ばれていたという。なかば伝説的な人物で、一度に10人の言ったことを聞きわけることが出来たとか、未来を予言することができたなど、超人的なエピソードが伝わっている。

592年に日本初の女帝・**推古天皇**が即位すると、その翌年、厩戸王子は**摂政**になり、有力な豪族の蘇我馬子とともに、倭国の政治を動かすようになった。

厩戸王子らは、豪族が力を持っていた倭国を、大王（天皇）中心の国にしようと、家柄に関係なく有能な人物を取り立てる「冠位十二階」や、役人の心得を説いた「十七条の憲法」などを定めて国の仕組みを整えていった。607年には、中国の隋に小野妹子らを遣隋使として送り、長らく途絶えていた中国との国交を再開することに成功した。

また厩戸王子は、当時、最新の学問として日本に入ってきた仏教を広めようと考えていた用明天皇の影響もあってか、仏教に深い関心を持っていた。そして、世の中に広く仏教を広めようと、法隆寺などの寺や仏像をつくるなどした。この結果、仏教文化を中心とする**飛鳥文化**が花開いた。

キーワード

▶推古天皇

554～628年。飛鳥時代の女帝。聖徳太子のおばで、名は額田部皇女。炊屋姫とも呼ばれる。39歳の時に、蘇我馬子に推されて女性で最初の大王（天皇）になった。

▶摂政

天皇が病気だったり、幼かったりして、十分に政治ができないときに、天皇に代わって政治を執り行う役目のこと。また、その役目を担う人。

▶飛鳥文化

7世紀前半に盛んになった、中国や朝鮮半島の国々の影響を受けた仏教を中心とした文化。西アジアやインド、ギリシアなど西方の国々の文化との共通性が感じられる。

蘇我氏に滅ぼされた聖徳太子の一族

じつは、聖徳太子の子孫は1人も残っていない。それは聖徳太子の子である山背大兄王の一族が、蘇我馬子の孫である蘇我入鹿にほろぼされてしまったからだ。

蘇我氏は、当時の有力豪族。中でも蘇我馬子は、聖徳太子と手を取り合って政治を行った人物だったが、じつは聖徳太子の進めた政治改革に、内心では異論を持っていたとも言われている。

聖徳太子が亡くなると、蘇我氏の力はますます強大になっていった。蘇我入鹿は、次期天皇の有力候補になっていた山背大兄王が邪魔になり、王を亡き者にせんと、王の住む斑鳩宮（奈良県生駒郡斑鳩町）を襲った。

山背大兄王の家臣は、「兵を集めて戦えば、絶対に勝てます」と進言したが、王は「わたし1人の命のために民を戦乱で苦しめたくない。わたしの体は入鹿にくれてやる」と言って、この進言を受け入れず、一族もろとも自殺してしまったと伝えられている。

これ以降、蘇我一族はますます好き勝手に振る舞い、やがてそれに反発した者によって、蘇我氏に対するクーデターである乙巳の変（25ページ）が起こされるのである。

▲聖徳太子が生まれた宮の跡地に建つ橘寺。聖徳太子の愛馬「黒駒」の像がある

聖徳太子はいなかった？

近年、「聖徳太子はいなかった！」という説が発表された。古い日本の歴史書に書かれた聖徳太子は、理想の政治家の姿を描いたもので、実在の人物ではないというのだ。つまり、「聖徳太子のモデルになった厩戸王子は実在したが、摂政として政治の中心にいた聖徳太子はフィクション」なのだそうだ。この説のためか、最近の教科書では、聖徳太子（厩戸王子）の役割について、昔よりも控え目に書かれることが多くなっている。

もっと知りたい 聖徳太子はどんな政治を行った？

飛鳥時代 聖徳太子

聖徳太子（厩戸王子）と蘇我馬子は、中国の隋を手本として、倭国（日本）の改革に手を付けた。隋は、当時のアジアの中で、もっとも発展していた国だったからだ。

厩戸王子の業績が書かれている、日本の古い歴史書『日本書紀』によれば、まず603年に「冠位十二階」を制定し、これまで家柄で決まっていた身分や仕事を、個人の能力を重視して決めるようにした。この時、役人の位を12段階に分け、位に合わせて冠の色を決めた（下の図を見よう）。

ただし、この制度は、蘇我氏などの最有力の豪族や、皇族は対象外だったので、蘇我馬子や厩戸王子は冠位を持たなかった。

また、604年に「十七条の憲法」を制定。憲法とは言っても、第一条の出だしである「和を以て貴しとなす（仲良くすることが大事）〜」という言葉からもわかるように、役人の心構えを17の文章で書いたもの。役人が天皇の命令に従って、まじめに働くことが取り決められたのだ。

厩戸王子が政治を行う前の倭国は、豪族たちの力が大王（天皇）よりも強く、時には豪族たちの権力争いの中で大王が暗殺されてしまうことさえあった。厩戸王子らの政治改革は、豪族の力を弱めて大王に権力を集中させようとするものだった。

冠位十二階の冠の色

①大徳 ②小徳	紫
③大仁 ④小仁	青
⑤大礼 ⑥小礼	赤
⑦大信 ⑧小信	黄
⑨大義 ⑩小義	白
⑪大智 ⑫小智	黒

豆知識

大阪府にある「金剛組」という建設会社は、現存する世界最古の会社といわれている。578年に、聖徳太子が朝鮮半島の百済から招いた渡来人が、太子が建立した寺の建設に携わったのが始まりだという。じつに1400年以上もの歴史を持っているというから驚きだ。

03 小野妹子

聖徳太子の国書を届けた遣隋使

活躍した時代：飛鳥時代
生没年：7世紀前半頃

隋の皇帝への国書

聖徳太子（厩戸王子）から託された国書。ここに書かれた内容が隋の皇帝を激怒させた。

時代の流れ

6世紀後半、ようやく軌道に乗った倭国の国づくりに、大きな危機が訪れた。中国に超大国「隋」が誕生したのだ。隋に服従するか、それとも対等な関係で付き合うか、倭国はその決断に揺れた。聖徳太子は遣隋使を送ることを決定し、隋の皇帝への国書を小野妹子に託したのだった。

小野妹子の人物像

飛鳥時代 小野妹子

　小野妹子は飛鳥時代の役人。その名前は有名だが、じつは謎につつまれた人物である。生まれた年も亡くなった年も分かっていない。そして、冠位十二階の上から5番目という、それほど高くない身分だったが、どういうわけか遣隋使に抜擢されて、607年、聖徳太子の国書を持って隋に渡った。ちなみに、名前に「子」とついているが、男性だ。当時の身分の高い人たちの中には、名前に子が付く男性も多くいたのだ。

　小野妹子が持っていった聖徳太子の国書は、隋の皇帝と日本の天皇が対等だという立場で付き合おうとしたものだった。この遣隋使のことが書かれている中国の歴史書『隋書』によれば、この国書を読んだ隋の皇帝・煬帝は、「蛮夷の書、無礼なるものあり。またもって聞することなかれ（蛮族の手紙はとても無礼。二度と取り次ぐな）」と、激怒したという。

　しかし、妹子ら遣隋使一行は、とくに罰せられることもなく、国交を結ぶことを許され、隋の使者・裴世清をともなって無事に日本に帰ってきた。もっとも、この裴世清は低い官位の人物だったというから、隋はそれほど倭国を重要視していなかったのかもしれない。

　隋から戻った妹子は、後に当時の最高の冠位である大徳にまで出世したという。一方で、再び隋に渡った後の消息は不明という説もある。

🔑 キーワード

▶遣隋使

仏教をはじめとする、先進の学問や技術を学ぶために、倭国が隋に送った遣い。東アジアでの倭国の地位を高める狙いもあった。

▶隋

古代中国の国。4世紀の初めから270年近く、多くの小国が並び立って混乱していた中国に久々に現れた統一国家。589年に中国全土を統一。

▶皇帝

中国の秦の始皇帝に始まる称号。中国では、天から地上の支配権を与えられた唯一の存在と考えられていた。中国人にとって中国以外に皇帝がいることはありえなかった。

妹子は隋からの返書をなくした？

607年に遣隋使として隋に渡った小野妹子は、翌年に、隋の使者・裴世清らをともなって帰国した。

このとき倭国は、飾りたてた30隻の船で出迎えたり、新築の立派な宿舎を用意したりして、裴世清らを大歓迎したという。

このように晴れやかな帰国をした妹子だったが、実は大失態を犯していた。なんと、「隋からの返書を、帰る途中に百済で盗まれた」と、推古天皇に報告したのだ。

これを聞いた臣下たちは怒り、妹子を流刑にしようとした。流刑とは、都から遠く離れた僻地に送る刑で、いってみれば「島流し」。絶体絶命の妹子だったが、推古天皇のとりなしで罪に問われずにすんだ。相手国からの重要な文書を無くすという失態にもかかわらず、罪に問われなかったのは不思議なことだ。一説には、返書の内容が倭国を見下したものだったので、妹子は倭国の人々にそれを見せないように、破り捨ててしまい、盗まれたということにしたのだともいう。そして、推古天皇はその事実を知っていたので、罪に問わなかったというのだ。もちろん、この件の真偽は不明である。

▲この事件を無事にしのいだ妹子は、608年再び隋に渡った

最初の遣隋使のトホホ

じつは、小野妹子以前にも遣隋使は派遣されていた。それが600年の第1回遣隋使。このとき倭国の使者は、隋の皇帝に「倭国の王は、天が兄で太陽が弟だ」などと言った。倭国の王が天や太陽に等しい偉大な存在だといいたかったのだろうが、隋の皇帝はこれを聞いてすっかり呆れてしまい、国交を結んでくれなかったという。

もっと知りたい 隋はなぜ日本の「無礼」を許したのか？

飛鳥時代 小野妹子

小野妹子が渡した国書を見て隋の煬帝が激怒したことは先に述べた。激怒の理由は、国書の文面にあった。
「日出ずる処の天子、書を日没する処の天子に致す。つつがなきや（東の国の皇帝から西の国の皇帝にお手紙します。お元気ですか）」。
古来中国は、自分たちこそ世界の中心と（実際、当時のアジアの国々で1番巨大な国家だった）、他の国々を蛮国と見下していた。その蛮国の1つである倭国（日本）の王が天子（皇帝）を名乗り、まるで自分たちと対等だと言わんばかりの手紙をよこしてきたのだ。煬帝にしてみればこれほど無礼なことはなかった。しかし煬帝は、結局倭国と国交を結ぶことを許した。理由は、当時の国際情勢にあった。

この頃、煬帝は朝鮮半島の大国・高句麗を滅ぼそうと戦いの準備を進めていた。隋にとって倭国は小さな存在とはいえ、高句麗と手を組まれると、やっかいだ。こう考えて、煬帝は倭国に対して国交を結ぶことを許したのだと言われている。

当時、倭国のライバルだった朝鮮半島の国々は、強大な隋と対等な立場ではなく、臣下として国交を結んでいた。倭国は、隋と対等な立場で国交を結ぶことができれば、ライバルよりも、国際的に優位に立つことができると考えた。そして、この「無礼な手紙」によって、倭国は見事に隋と対等の立場で国交を結ぶことに成功したのだった。

豆知識

蘇我馬子のように、古代日本では身分の高い男性に「～子」という名前を付けることがあった。しかし、小野妹子の「妹」は、本来女性を指す言葉。残されている記録から、小野妹子が男性であることは間違いないのだが、なぜ名前に女性を指す「妹」を使ったのかは謎である。

04 中大兄皇子（なかのおおえのおうじ）

大化の改新を行った大政治家

活躍した時代：飛鳥時代
生没年：626〜671年

大刀（たち）
当時の日本の剣は、後の時代のように刀身に反りはなく、真っ直ぐだった。『日本書紀』によると、乙巳の変の時、中大兄皇子は大刀で蘇我入鹿に切りかかった。

時代の流れ

7世紀の半ば、聖徳太子とその一族が滅ぼされた後、倭国の政治は飛鳥時代の有力な豪族である蘇我氏の主・蘇我入鹿が、我が物顔で動かすようになっていた。国の未来を憂う中大兄皇子は、蘇我氏の政治を快く思わない中臣鎌足など、心を同じくする仲間を集め、蘇我氏打倒に立ちあがった。

中大兄皇子の人物像

中大兄皇子は古代日本の皇族で、女帝・皇極天皇の皇子。後に天智天皇になった。弟に大海人皇子（後の天武天皇）がいる。遣隋使として隋に渡って学問を学んだ南淵請安などに学んだ。

当時、蘇我入鹿をはじめとする蘇我氏が強大な権力を持ち、大王（天皇）をないがしろにして政治を行っていた。皇子はこの状況を憂えて、蘇我氏を権力の座から降ろし、日本を中国のような天皇中心の**律令国家**にしようと考えた。

645年、中大兄皇子は、中臣鎌足ら仲間とともに蘇我入鹿とその父・蝦夷を倒し（乙巳の変）、**大化の改新**という政治改革を始めた。この時、都はそれまでの飛鳥から難波（今の大阪府）に移された。

中大兄皇子は、乙巳の変の功労者にもかかわらず、長い間自分自身は天皇にはならず、皇太子としておじの孝徳天皇や、母の斉明天皇（2度目に即位した時の呼び名）のもとで政治改革の中心となった。

668年、斉明天皇が亡くなった7年後にようやく天皇（天智天皇）になった。しかし、天智天皇が生きているうちに改革は完成しなかった。改革は弟の**天武天皇**や**持統天皇**（天智天皇の娘で、天武天皇の妃）が引き継ぎ、701年に天武天皇の孫の文武天皇が出した大宝律令によって完成した。

🔑 キーワード

▶律令国家
律令（法律）にもとづいた、天皇をトップにした中央政府に権力を集中させた国家（中央集権国家）のこと。律は現在の刑法、令は現在の行政法に当たる。

▶大化の改新
乙巳の変の後、中大兄皇子が始めた政治改革。中国の律令制にならい、日本を天皇中心の律令国家にすることを目指した（31ページ）。

▶天武天皇と持統天皇
大海人皇子は、天智天皇の子との間で起きた後継者を巡る内戦（壬申の乱）に勝って、天武天皇として即位した。天武天皇の死後、その妃である持統天皇が即位して、父・天智天皇や夫の改革を引き継いだ。

飛鳥時代 中大兄皇子

2人の天皇に愛された？ 額田王

額田王は飛鳥時代を代表する女性歌人。若い頃から豊かな才能を発揮し、古代日本の歌を集めた『万葉集』にいくつもの歌が選ばれている。

この額田王は、中大兄皇子の弟・大海人皇子の妻になって、十市皇女を生んだ。ところが、兄の中大兄皇子が彼女を見染め、大海人皇子から奪って自分の妻にしてしまったといわれている。

額田王が中大兄皇子の妻になった後に、ある宴会で詠んだとされる歌に、次のようなものが残されている。

「あかねさす 紫野行き 標野行き 野守は見ずや 君が袖振る（紫野にピクニックに行ったら、あなたが私に向かってこっそり袖をふっている。周りの者に気づかれないかひやひやだわ）」

これに対して大海人皇子はこんな歌を返した。

「紫草の にほへる妹を 憎くあらば 人妻ゆゑに われ恋ひめやも（あなたは人妻だけど、とても恋しく思っています）」

何とも大胆なやりとりだ。宴会の席の冗談で作った歌だという説もあるが、たとえそうだったとしても、中大兄皇子が聞いていたら、心中穏やかではなかっただろう。

▲中大兄皇子は、額田王の歌人としての才能に惚れこんだようだ

時の記念日と中大兄皇子

中大兄皇子は、日本で初めて時計を作らせた人物だ。その時計とは、中国で発明された水時計（漏刻と呼ばれる）。中大兄皇子は、天智天皇として即位した後、671年6月10日にこの水時計を都に設置して時間を計り、鐘や鼓を鳴らして時間を知らせるようにした。これを記念して、6月10日は現在、「時の記念日」になっている。

もっと知りたい

決戦！白村江の戦い

飛鳥時代　中大兄皇子

　中大兄皇子が大化の改新を進めていた最中の663年8月、日本は外国と大きな戦争をしている。それが「白村江の戦い」だ。

　ことの始まりは、朝鮮半島の国・新羅が、大国の唐と手を組んで、日本と友好関係にあった百済を滅ぼしたことにある。滅亡した百済の旧臣たちは、国の再興を目指して、日本に助けを求めた。

　日本は、この求めに応じて大軍を朝鮮半島へ派遣することを決定した。中大兄皇子自ら指揮をとって、約2万7000の兵が海を渡って朝鮮半島に出兵した。そして、百済の白村江で、唐・新羅の連合軍と戦ったのだった。

　しかし、日本軍は海上でも陸上でも大惨敗を喫してしまった。特に海上の戦いでは、唐の将軍・劉仁軌率いる水軍の攻撃で、多くの日本軍の船が炎に包まれ壊滅。海の底に沈んでしまった。

　この戦いによって、百済再興の可能性は完全に消滅。一方日本は、朝鮮半島への足がかりを失っただけでなく、百済のように攻められる危機を感じることになった。中大兄皇子は、朝鮮半島に近い九州に警備のために兵士（防人）を置き、山城などをつくって国の防衛を強化したのだった。

豆知識

「平成」や「昭和」など、年を数えるためにつける称号を元号という。もともとは中国で使われ始めた。日本初の元号は、645年の「大化」だというが、その後しばらくはつけられなかった。現在の「平成」まで連続してつながる元号の最初のものは、701年から始まる「大宝」だ。

27

05 中大兄皇子の信頼厚いブレーン
中臣鎌足（なかとみのかまたり）

活躍した時代：飛鳥時代
生没年：614～669年

靴（くつ）
ある日、蹴鞠をしていた中大兄皇子の靴が中臣鎌足のところに飛んできた。鎌足はその靴を拾って皇子に手渡した。これが2人の初めての出会い。ちなみに、当時、靴は身分の高い人だけがはくものだった。

時代の流れ
倭国の政治を我が物顔に動かす蘇我入鹿をはじめとする蘇我氏に対して中大兄皇子がクーデターを起こした時、ともに立ち上がったのが中臣鎌足である。645年に乙巳の変で蘇我氏を倒した後、新政府の中心となって、政治改革を推し進める中大兄皇子のそばには、常に彼の姿があった。

中臣鎌足の人物像

飛鳥時代 中臣鎌足

中臣鎌足は、中流豪族・中臣氏の出身。中臣氏は神事を司る家柄だったが、政治家を目指していた鎌足は、祭官になるのを嫌って、仮病を使って都から遠い地に引きこもったこともあったという。

当時、蘇我入鹿が我が物顔で政治を行っていたが、鎌足はそれを苦々しく思っており、蘇我氏に対抗できる人物として中大兄皇子に目を付けた。そして、皇子になんとか近づこうと機会を狙っていた。

ある時、**蹴鞠**をしていた中大兄皇子が、毬をけったはずみに靴を飛ばしてしまい、それが鎌足のそばに転がってきた。鎌足はチャンスとばかりに、その靴をすばやく拾って皇子に手渡した。これをきっかけに2人は親しくなる。鎌足が思っていた通り、蘇我氏のことを快く思っていなかったのは中大兄皇子も同じだった。意気投合した2人は、蘇我氏打倒の策を練り、蘇我入鹿の暗殺に成功した（乙巳の変）。

中大兄皇子が、政治改革・大化の改新を始めると、鎌足はブレーンとして中大兄皇子を長く支えた。鎌足が死の床に就くと、天智天皇となった中大兄皇子は長年の功績をたたえて、鎌足に最高の冠位である**大織冠**と、「藤原」の姓を授けた。これが平安時代に藤原道長などを出して繁栄を極める、名門貴族・**藤原氏**の始まりである。

キーワード

▶蹴鞠
中国から伝わったもので、革でできた毬を、地面に落とさずにけり上げる回数を競う貴族の遊び。現在でいえば、サッカーのリフティングに似ている。

▶大織冠
冠位十二階に代わって、大化の改新で作られた新しい冠位制度の最上位。実際にこの冠位を与えられたのは、中臣鎌足ただ1人。そのため、大織冠は中臣鎌足のことを指す言葉にもなっている。

▶藤原氏
中臣鎌足が藤原姓を与えられたことに始まる貴族。鎌足の子・不比等の時代以降に勢力を強めていき、11世紀の藤原道長、頼通親子の時代に繁栄を極めた。

29

中大兄皇子の天皇即位に反対した!?

　中大兄皇子と出会って以降、中臣鎌足は皇子の良きブレーンだった。蘇我氏を打倒するに当たっては、蘇我氏の一族でありながら蘇我入鹿らに不満を持つ蘇我倉山田石川麻呂を仲間に引き入れることを提案している。そして石川麻呂は、乙巳の変で蘇我入鹿の油断を誘うという、重要な役割を果たした。

　乙巳の変の後、この時天皇だった中大兄皇子の母・皇極天皇は、中大兄皇子に天皇の座を譲ろうとした。しかし鎌足は、中大兄皇子の即位に反対し、皇子の叔父である軽皇子を天皇にしたほうが、皇子の人望が高まると進言した。

　この進言の背景には、鎌足のこんな考えがあったようだ。「どのような事情があろうとも、武力で蘇我氏を打倒した中大兄皇子がそのまま天皇になっては、権力を握りたいためだけにクーデターを起こしたと人々に思われて、皇子の評判を下げてしまう。それよりも、年長の軽皇子を天皇にして、皇子は実権だけを握る、つまり、『名より実を取る』方が得だ——」。

　皇子もこの鎌足の意見に納得し、軽皇子が孝徳天皇として即位。皇子は皇太子として大化の改新を進めることになったのである。

▲中臣鎌足と中大兄皇子が親しくなるきっかけとなった蹴鞠。現在でも神社などで儀式として行われている

石川麻呂、危機一髪

　蘇我倉山田石川麻呂を仲間に引き入れるために、鎌足は彼の長女と中大兄皇子の結婚を計画した。そして、無事に婚約が成立したのだが、なんと長女は、皇子との結婚の当日に別の貴族に奪われてしまった。この非常事態に焦る石川麻呂だったが、次女が「わたしが代わりに皇子と結婚します」と言ってくれたので、なんとか事なきを得たのだった。

大化の改新って何をしたの？

飛鳥時代 / 中臣鎌足

　中大兄皇子や中臣鎌足らが行った大化の改新。実際にはどんな改革を行ったのだろう。それは、646年の正月に、中大兄皇子が新しい政治の基本方針として出した、「改新の詔」という文章にまとめられている。「改新の詔」は四条からなっていて、簡単に要約すると、下のようになる。

❶	土地や民をすべて国家（天皇）のものとする（公地公民制）
❷	地方を国・郡（評）・里に分け、都を中心とした政治制度を定める
❸	戸籍を作り、それに基づき農地を貸して税を納めさせる（班田収授法）
❹	新しい税の制度を定める

　ところで、この「改新の詔」を含め、大化の改新については、『日本書紀』という歴史書に記されている。これは大化の改新から70年以上後に作られたもので、作成の中心には鎌足の子の不比等がいた。そのため、後の時代に行われたことが改革の中に紛れ込んでいたり、中大兄皇子や鎌足に都合よく書かれていたりする可能性もあるのだ。天皇中心の国づくりを目指す大化の改新という政治改革が行われたことは間違いないとされているが、最近では正確な内容については『日本書紀』の内容だけをうのみにせず、そのほかの史料なども使って研究が行われている。

藤原さんは全国各地にいるが、すべてが中臣鎌足に始まる貴族の藤原家の末裔というわけではない。中には貴族の藤原氏にあこがれて、勝手に藤原の姓を名乗ってしまった例もあったりするのだ。

弥生時代～飛鳥時代

弥生時代、ムラからクニへ

　今から2400年ほど前、中国大陸から日本に伝わった米作りが本格化し、西日本を中心に広まっていきました。弥生時代の始まりです。この頃の日本は、まだまとまった1つの国ではありませんでした。人々は豪族と呼ばれる指導者のもと、水田のまわりにムラをつくりました。やがて強い豪族が周辺のムラをまとめて王となり、クニをつくりました。こうしたクニが日本列島各地にできていきました。女王・卑弥呼がいた邪馬台国もそうしたクニの1つでした。
　この頃の日本列島は、中国から「倭」と呼ばれていました。

ヤマト政権の誕生

　3世紀の末頃になると、有力な王や豪族たちが古墳と呼ばれる巨大なお墓を作り始めました。古墳時代の始まりです。この古墳時代に、大和地方（奈良県）の有力な豪族たちが連合して大きな国をつくりました。これをヤマト政権（ヤマト王権、大和朝廷）といいます。ヤマト政権のリーダーを大王といいました。そして、このヤマト政権が、日本各地の豪族や王を従えて、今の日本につながっていくのです。でも、まだこの国は「日本」という名前ではありませんでした。

天皇中心の国の完成

　ヤマト政権では豪族たちの力が強かったので、飛鳥時代に入ると、聖徳太子らによって大王中心の国にするためのさまざまな改革が行われました。聖徳太子が亡くなった後は、中大兄皇子やそれに続く人々によって、中国をお手本にした政治改革が行われ、大王中心の国の仕組みが整えられていきました。この間に、大王は天皇、倭国は日本と呼ぶようになりました。そして、701年に大宝律令という法律が作られて、天皇中心の国の基礎が出来上がりました。

奈良時代に入ると、朝廷の支配は日本のほとんどの地に及ぶようになった。その後、桓武天皇が都を奈良から京都に移し、平安時代が始まった。この時代は、貴族が大きな権力を握り、とくに藤原氏の力は絶大で、思うままに政治を動かした。

奈良時代

聖武天皇
701年〜756年

行基
668年〜749年

鑑真
688年?〜763年

平安時代

空海
774年〜835年

藤原道長
966年〜1027年

清少納言
966?年〜1025?年

紫式部
?年〜?年

平清盛
1118年〜1181年

源義経
1159年〜1189年

奈良時代〜平安時代

仏教の力を心から信じた天皇

06 聖武天皇

活躍した時代：奈良時代
生没年：701〜756年

べん冠

中国風の冠で、古くから天皇の冠として使われていた。天皇に即位する時や、重要な儀式の時に用いられた。奈良の正倉院に、聖武天皇のべん冠の壊れたものが収められている。

時代の流れ

　8世紀の初め、奈良の平城京に都が移されて奈良時代が始まった。奈良時代は、華やかなイメージとは裏腹に、血なまぐさい権力闘争や天変地異が相次いだ。724（神亀1）年に即位した聖武天皇は、よい政治をしようとするが、次々と起きるトラブルに悩まされ、仏教の力を頼るのだった。

奈良時代　聖武天皇

聖武天皇の人物像

　奈良時代の天皇。文武天皇の皇子で、母は藤原不比等の娘・宮子。后は不比等の娘・光明皇后。

　724（神亀1）年に24歳で天皇に即位した。聖武天皇の時代は、**天平文化**という日本を代表する華やかな文化が花開いた一方で、貴族たちの血なまぐさい権力争いや、地震や伝染病の流行など、多くの問題があって、政治も社会もとても不安定だった。

　仏教を篤く信じていた聖武天皇は、仏教の力で社会を安定させようと考えた。このような考えを、鎮護国家という。

　聖武天皇は、741（天平13）年に国ごとに**国分寺・国分尼寺**をつくることを命じた。そして、総国分寺（国分寺や国分尼寺の元締め）として、平城京に東大寺をつくった。743（天平15）年には、大仏造立の詔を出した。この詔によって、東大寺に奈良の大仏がつくられることになった。また、仏教の盛んな中国の唐から、徳の高い僧を日本に招こうとし、鑑真が日本にやってくるきっかけを作った。

　奈良の大仏は10年以上の長い年月をかけて、聖武天皇が天皇の位を降りた後の752（天平勝宝4）年に完成した。

キーワード

▶奈良時代
聖武天皇の一代前の元明天皇が奈良の平城京に都を移した710（和銅3）年から、794（延暦13）年に京都の平安京に都が移されるまでの、およそ80年間。

▶天平文化
聖武天皇の頃に栄えた文化。中国の影響を受けた、国際色豊かで貴族的な華やかさが特徴。この文化を代表するものとして、奈良の東大寺や唐招提寺などの建築物、仏像、和歌を集めた『万葉集』などがある。

▶国分寺・国分尼寺
「国分」とは、「国のため」という意味。国分尼寺は尼寺。奈良時代、全国は60ほどの国に分けられ、聖武天皇はこの国ごとに寺を立てることを命じた。

聖武天皇は引っ越しマニア？

　奈良時代の都と聞かれれば平城京と答えるのが一般的だが、じつは奈良時代には、平城京以外に3つの都があった。なぜなら、聖武天皇がわずか4年半の間に、4回も都を変えたからだ。

　政治や社会の混乱に悩む聖武天皇は、都のある場所が悪いと思ったのか、740（天平12）年に平城京を出て、都にふさわしい場所を探しに出かけた。そして、今の三重県、岐阜県、滋賀県、京都府をぐるりとまわった後、恭仁（今の京都府木津川市）という土地に、新たな都を作ることを決めて建設を始めた。ところが一向に社会が安定しなかったので、聖武天皇は建設を中止させ、紫香楽宮（今の滋賀県）に都を変えた。それでも満足できなかった聖武天皇は、さらに難波宮（今の大阪府）へと都を移した揚句、結局はもとの平城京に都を戻した。

　都を変えることは簡単なことではない。天皇だけが引っ越すわけではなく、政府の建物を作りなおし、そこで働く役人たちも一緒に引っ越さなければならないからだ。整備された道もなく、トラックもなかった奈良時代、4回も都を変えるということは、大変なことだっただろう。

▲大仏造立の詔 は、紫香楽宮にいた時に出された。ひょっとしたら「奈良の大仏」ではなく、「滋賀の大仏」になっていたかも

気が強かった？ 光明皇后

　聖武天皇の妃・光明皇后は、権力者・藤原不比等の娘。当時の歴史書に「頭が良く慈悲深い」と絶賛されている女性だ。その一方で、聖武天皇が病気がちになると、おいの藤原仲麻呂とともに自ら政治の実権を握ったり、聖武天皇の遺言を無視して自分に都合のよい人を天皇にしたりするなど、かなり気の強い女性だったようだ。

もっと知りたい　国家プロジェクト！奈良の大仏

奈良時代

聖武天皇

奈良の大仏は、高さが約16メートルある。これほどの大仏を作るためには、期間も人手も、そしてお金もかなりかかったはずだ。

聖武天皇が大仏を作る命令を出したのが743（天平15）年のこと。そして、実際に制作が始まったのがその2年後。そこから一応の完成を見た752（天平勝宝4）年まで、およそ6年半もかかっている。この間、大仏と、大仏が入る建物・大仏殿の工事に参加した技術者や労働者は、のべ260万人といわれている。これらの人々は全国各地から集められた。

大仏をつくるのにかかったお金に関しては、記録が残されていない。ただし、大仏の金メッキにつかった金だけでも440キログラムという記録が残っているので、そうとうな金額になったことは想像できる。朝廷が持っていたお金だけではまったく足りなかったため、人々の間に人気のあった僧・行基にお金集めを頼んだ（39ページ）が、それでも足りなかった。それを補うために、各地の豪族など有力者に、冠位を与えて、その代わりに寄付金をもらうこともあったようだ。

▲ちなみに、一般の仏像は高さが3.2メートル。これよりも高い仏像のことを大仏という。聖武天皇は、一般の仏像の10倍の高さ、つまり32メートルの身長の大仏をつくろうと思っていたが、奈良の大仏は座った姿なので、身長の半分の約16メートルになっている

仏像にもいろいろ種類がある。奈良の大仏は、盧遮那仏という仏様の像。この名前には、「光り輝き、世界全体をあまねく照らすもの」という意味がある。聖武天皇は、社会や政治が混乱するなか、人々をこの仏様の力で明るく照らしたかったのだろう。

37

07 庶民のためにつくした名僧

行基

活躍した時代：奈良時代
生没年：668〜749年

錫杖

全国を巡る僧などが持つ仏具。頭部につけられた輪が揺れてぶつかり合い、「シャン、シャン」という音を出す。行基がどのようなものを用いたのかは不明。

時代の流れ

　710（和銅3）年から始まる奈良時代は、都で優雅に暮らす貴族がいる一方で、重い税の負担にあえぐ庶民がいるという、激しい格差社会でもあった。しかも、聖武天皇の時代には、天変地異や飢饉が相次ぎ、庶民の暮らしは厳しいものだった。そんな庶民を救おうとした僧が行基である。

行基の人物像

奈良時代

行基

行基は奈良時代の僧侶。行基の業績を伝える書物によると、彼は、668年に河内国（今の大阪府）に生まれたという。父は、朝鮮半島にあった百済からやってきて日本に住み着いた人々（百済系渡来人）の子孫だった。15歳で**出家**し、24歳で一人前の僧侶として認められた。

当時、仏教の役目は国家を守護することで、庶民を救うことではなかった。そのため、庶民に仏教を広めることも禁止されていた。

そんななか行基は、庶民のために各地を回って仏の道を説いた。それだけでなく、貧困にあえぐ庶民を救おうと、田畑に水を引くための貯水池や、用水路、庶民が歩きやすいように道や橋をつくるなどの**土木工事**を行って庶民に親しまれた。

政府は初め、行基の活動を違法として弾圧していたが、やがてその人気を無視できなくなって、次第に弾圧は緩められた。

やがて聖武天皇は、奈良の大仏をつくるにあたって、庶民に人気の高い行基に協力を求めた。行基はこれを引き受けて、弟子とともに大仏を作る資金集めを行い、その功績によって**大僧正**の位が与えられた。しかし行基は、大仏の完成を見ることなく亡くなった。

キーワード

▶出家

仏教の言葉で、世間一般の生活を捨てて仏の道に入ることをいう。出家していない仏教徒は在家という。

▶土木工事

当時の仏教は、現在のイメージと違い、単なる宗教ではなかった。最新の学問であり、その中には寺を作るための土木技術なども含まれていた。そのため、僧たちの中には土木工事の技術に長けていた者も多かった。

▶大僧正

僧侶の最高の位。745（天平17）年に、行基が日本で初めての大僧正になった。現在と違って、当時の僧の位は、国から与えられるものだった。

行基の話で村1つが空っぽに！

庶民に仏の道を説くことが許されていなかった当時、行基は国の法に逆らって、全国各地で庶民に仏の道を説くばかりか、庶民の生活を助けるために土木工事などの活動を行った。

行基のこのような違法活動は、朝廷からは国に反抗する態度と誤解されたため、「民を惑わすもの」「小僧行基」などと呼ばれて弾圧された。「小僧」とは、一人前でない僧を意味する言葉だ。

しかし、行基は弾圧にひるまず各地で活動を続け、そんな行基を人々は慕った。当時作られた『続日本紀』という歴史書によれば、行基が説法（仏の道の話）をすると聞けば、千人もの人々が話を聞きに集まったという。中には、村人こぞって行基の話を聞きに行ったために、村が空っぽになったところもあったという。なんともすごい人気だ。

やがて朝廷は、行基の活動は国に反抗するものではないと理解して、弾圧を緩めていった。それどころか、この行基人気を利用しようとすら考えるようになり、かつて「小僧」と蔑んだ行基に手のひらを返したように、大僧正の位を贈ったのだった。

▲庶民のために尽くす行基は、彼らの人気者だった

行基のぶどう伝説

偉大な人物に伝説はつきものだ。行基にも多くの伝説がある。代表的なのが、香川県塩湯温泉など各地にある、行基が発見したとされる「行基の湯」伝説だ。また、山梨県勝沼では、この地を訪れた行基が夢にぶどうの房を持った薬師如来を見たことをきっかけに、ぶどうの作り方を村人に教えたのが、甲州ぶどうの始まりだという、ぶどう伝説もある。

もっと知りたい

格差社会の奈良時代！

奈良時代の都・平城京には、天皇が政治を行う「平城宮」を中心に、10万人ほどが住んでいたが、このうちのおよそ1万人が政治に携わる貴族と役人だった。

貴族や役人の給料は身分によって細かく決まっていて、位が1つ違うだけで給料も大違いだった。最高位の貴族の年収は、現在のお金に換算すると、およそ3億7千万円！　現在の総理大臣の年収がおよそ4千万円というから、いかに破格なのかが良くわかる。ちなみに、下級の役人はおよそ360万円。わずか100分の1しかない。

庶民と貴族の差はさらに大きかった。庶民は貴族や役人の生活を支えるために、重い税を払わねばならなかった。当時は、それに耐えられず、住んでいる所から逃げ出す人も多かったという。貴族が何皿もある贅沢な食事をする一方で、庶民は青菜汁と塩だけがおかずという粗末なものを食べてた。奈良時代は格差社会だったのだ。

奈良時代　行基

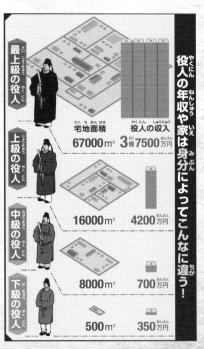

役人の年収や家は身分によってこんなに違う！

身分	宅地面積	役人の収入
最上級の役人	67000㎡	3億7500万円
上級の役人	16000㎡	4200万円
中級の役人	8000㎡	700万円
下級の役人	500㎡	350万円

「平城京展」図録（1989年）から再構成（役人の年収も）

豆知識

平城宮に勤める役人たちの勤務時間は、日の出から正午頃まで。上級役人や貴族は平城宮の近くに住んでいたが、下級役人は平城京の端っこに住んでいて、バスも電車もない当時、歩いて1時間以上かかることもあった。彼らは日の出に間に合うために、真夜中に家を出なければならなかった。

08 鑑真(がんじん)

海を渡った不屈の中国僧

活躍した時代：奈良時代
生没年：688?〜763年

鑑真の眼
何度も日本渡航に失敗した苦難から、鑑真の眼は視力を失ってしまった。しかし、不屈の精神は衰えることはなかったという。

時代の流れ
6世紀半ばの仏教の伝来から200年以上たった奈良時代。仏教は国家と結びつき、盛んになった。一方で、正しいあり方を見失い、堕落する僧たちも増えていた。そんな日本の仏教界を救うために、本場・中国から優れた僧を招くことが計画され、鑑真が日本にやってきた。

鑑真の人物像

　鑑真は8世紀に活躍した中国人の僧。中国の唐の時代の揚州（現在の江蘇省揚州）に生まれた。14歳で出家し地元揚州の寺で修行した後、20歳で都の長安に出て修業を積んだ。やがて高僧として名前が知られるようになり、40歳までに4万人もの僧に**戒律**を授けたという。

　当時の日本には、戒律を授けることのできる僧がいなかったため、自分勝手に僧になるものが増えて困っていた。そこで朝廷は戒律を授けることのできる優れた僧を唐から招くという使命を、普照と栄叡という2人の**留学僧**に与えた。

　この2人の願いを受けて日本に向かった鑑真だったが、船が難破したり、目的地以外の場所に流れ着いたりするなど、旅は困難を極め、5回も失敗した。とくに、5回目の渡航では、ともに旅した栄叡が病死し、自分自身は失明するという苦しみも味わった。それでも日本行きをあきらめなかった鑑真は、753（天平勝宝5）年、6回目の挑戦でついに日本にたどり着くことができた。

　日本についた鑑真は、東大寺で聖武上皇（天皇の位を退いていた）を始め400人以上の貴族や僧に戒律を授けた。また、**唐招提寺**を建立し、日本に戒律を広めた。

🗝 キーワード

▶戒律
仏教の世界で、仏門に入る人が守る規律や規則のこと。戒律を受けて初めて正式な僧になれる。戒律を授けることのできるのは、実力を認められた優れた僧だけとされた。

▶留学僧
遣唐使船に乗って唐に行き、仏教を学ぶ僧のこと。遣唐使船には僧のほかに留学生も乗っていた。彼らが唐から持ち帰った学問や文化は、日本の発展に大きな役割を果たした。

▶唐招提寺
鑑真が聖武上皇から土地を与えられて、759（天平宝字3）年に建立した寺。律宗という宗派の寺で、現在はその総本山（本部の寺）になっている。奈良県奈良市五条町にある。

日本へ！ 鑑真苦難の道のりとは？

　普照と栄叡、2人の日本僧の願いで日本行きを決めた鑑真だったが、すでに書いたように、その道のりは苦難の連続だった。

　当時の唐では、国の許しを得ずに勝手に他の国に行くことは禁じられていた。そして、鑑真ほどの優れた僧を手放したくない唐の政府は、鑑真に日本に行く許しを与えなかった。しかし鑑真は、唐の法を破り密出国してでも、日本へ行こうと決心した。

　5回の渡航失敗のうち、1、3、4回目の渡航は、密出国の計画を密告されたことによる失敗だった。また、2、5回目は、日本へ行く途中で船が暴風雨にあっている。とくに5回目は船が漂流し、はるか南の海南島というところまで流されてしまった。この時、日本僧の1人栄叡が病死し、鑑真は失明してしまった。

　それでも日本行きをあきらめなかった鑑真は6回目の挑戦を行う。この時も途中で暴風雨に遭うが、なんとか無事に日本にたどり着くことができた。この6回に渡る渡航挑戦の間に、同行者のうち200人以上が途中で離脱し、36人が命を落としたという。無事に日本にたどり着いたのは、わずかに24人だけだった。

【鑑真の6回の渡航挑戦】

✕	1回目（743年）	日本に行きたくない弟子が密告
✕	2回目（743年）	途中で暴風雨に遭って戻る
✕	3回目（744年）	鑑真を惜しんだ者が密告
✕	4回目（744年）	鑑真の身を案じた弟子が密告
✕	5回目（748年）	途中で暴風雨に遭い漂流
◯	6回目（753年）	暴風雨に遭うも無事日本に到着

渡航成功の裏に遣唐使あり

　6回目の渡航挑戦は、ちょうど日本から来ていた遣唐使船を利用することになった。しかし、やはり唐の政府は鑑真の渡航を許さず、この時も渡航は失敗に終わりそうだった。ところが、鑑真を日本に連れていくことをあきらめきれなかった遣唐副使の大伴古麻呂が、独断で自分の船に鑑真を乗せ、無事日本に連れ帰ったのだった。

もっと知りたい 命がけのミッション！遣唐使

奈良時代

鑑真

　遣唐使とは、遣隋使に引き続き中国に送られた使節だ。隋に代わって中国で建国された唐と友好関係を結び、唐の優れた文化や進んだ制度などを学ぶことが主な目的だった。

　遣唐使船には、多くの留学生や留学僧が乗り込んだ。彼らは数年、あるいは数十年の間、唐で学んだ後、日本に多くのものを持ち帰った。たとえば、医学や薬学の知識、最新の建築技術、芸術、仏教の経典などだ。また、豆腐や味噌、お茶など、現在の食卓でおなじみの食べ物も、遣唐使によって唐からもたらされた。

　遣唐使船で唐に渡った人々は当時のエリートで、日本に帰ってきたら、出世が約束されていた。なかには、阿倍仲麻呂のように、中国の皇帝に仕えて出世した人もいる。

　しかし、遣唐使は命がけだった。当時の船は今に比べて頑丈ではなく、航海技術も未熟だったので、暴風雨に遭って船が沈むことも多かった。また、唐にいるうちに病気などで死んだり、帰りの船が遭難してしまったりして、再び日本の地を踏むことのできなかった者も多い。そんな遣唐使だが、唐の国力の衰えや、唐の文化が十分日本に入ったことなどから、しだいに命をかけてまで海を渡ることに疑問を唱える人も出てきた。そして、894（寛平6）年、菅原道真の提案によって中止されると、その後、遣唐使は派遣されなくなり、およそ360年の歴史を閉じたのだった。

▲復元された遣唐使船

豆知識

　5回目の渡航失敗の後に鑑真は失明したと言われるが、「本当は失明していなかったのではないか」という説が近年出された。鑑真が日本にやってきた後に書いたとされる手紙があるからだ。他人の代筆ではないかという反論もあるが、真相のほどは定かではない。

09 日本で真言宗を広めた高僧

空海（くうかい）

活躍した時代：平安時代
生没年：774〜835年

金剛杵（こんごうしょ）

密教の儀式で使われる道具の１つ。魔物が入ってこないように、結界を張るためなどに使われる。古代インドの武器をかたどったもの。

時代の流れ

　奈良時代、仏教は政治と強く結びつき、世の中を混乱させることもあった。桓武天皇は仏教と政治の関係を断つために、794（延暦13）年に都を奈良の平城京から山城国（京都府）の平安京に移し、それまでの寺院が平安京に移ることを禁じた。そして、新しい仏教が望まれるようになった。

空海の人物像

空海は、平安時代の初期に真言宗を開いた僧。讃岐国（香川県）の郡司（地方の役人）の子に生まれた。幼い頃から勉強好きで、15歳の時に都に出て勉強し、18歳で大学（国の官僚を要請する学校）に入学してさまざまな学問を学んだ。しかし、次第に大学での勉強に飽き足らなくなって仏門に入ることを志し、19歳の頃に修行生活に入った。

804（延暦23）年に、留学僧として遣唐使船に乗って唐に渡った。空海は唐で主に**密教**を学び、わずかな期間でその奥義を授けられた。また、唐の最新医学や工芸・土木技術なども短期間のうちに身につけたという。決められた留学期間は20年だったが、1日でも早く日本に密教を広めようと、わずか2年で帰国した。

空海は帰国後、**真言宗**を開いた。空海が持ち帰った密教は、貴族など多くの人に受け入れられた。当時の名僧で**天台宗**を開いた最澄とも親交を結び、一時は最澄が空海に弟子入りをするほどだったが、宗教観の違いから後に決別した。その後の空海は、高野山金剛峯寺を開くなど真言宗を広めるための活動を精力的に行った。また、庶民のために用水池の修復工事を行ったり、庶民も学ぶことのできる学校を創設したりするなど、宗教家としてだけでなく、土木技術者や教育者としても幅広い活動を行った。

🔑 キーワード

▶密教
仏教の1つ。空海が唐で学び日本に伝えた。経典を読むだけでなく、曼荼羅や独特の儀式などを通じて仏の教えを伝える秘密の教義ということから「密教」と言われる。

▶真言宗
空海が開いた仏教の宗派の1つ。空海が唐で学んだ密教をもとに日本で広めた。高野山金剛峯寺や京都の東寺を本山とし、山間での厳しい修行が特色。

▶天台宗
最澄が開いた仏教の宗派の1つ。最澄が唐で学んだ天台宗を日本で広めた。比叡山延暦寺を本山とする。後に密教の要素も取り入れた。真言宗と並ぶ平安時代の新宗派。

平安時代

空海

あふれる才能の持ち主、空海

　空海はあふれる才能の持ち主だった。「弘法も筆の誤り」「弘法筆を選ばず」という有名なことわざがある。弘法（大師）とは、空海のこと。どちらも空海がとても字がうまかったことから生まれたことわざだ。そのうまさは、江戸時代に「三筆（字の達人ベスト３）」の中に名前を挙げられたほどだ。

　また、語学の天才でもあった。留学生として唐に渡る前、日本で中国語を勉強し、唐に渡った時には通訳なしで現地の人と何不自由なく話をすることができるほどマスターしていた。さらに、唐で密教を学ぶ時、まず梵語という密教に使われる言葉を勉強したが、わずか２カ月で密教の師匠である恵果の弟子の中で、誰よりも上手になったという。

　さらに土木技術者としても有能で、大雨で壊れた讃岐国（香川県）の満濃池という農業用のため池を、唐で学んだ最新技術を用いて修復した。ちなみにこの満濃池。空海の後も何度か工事が行われ、当時の姿とは変わっているところもあるが、約1300年たった今も農業用ため池として、讃岐平野の人々の暮らしを支えている。

◀空から見た現在の満濃池。毎年６月中旬に農業用水が放たれると、讃岐平野の水田でいっせいに田植えが始まる

超人・弘法大師伝説

　超人的な活躍をした空海には、今の常識では信じられないさまざまな伝説が残っている。有名なのが、杖をついたら水や温泉が湧き出したというもので、全国各地に伝わっている。また、「死んだ赤ちゃんを生き返らせた」とか、「老人を若返らせた」、「大日如来という仏様に変身した」などという伝説もある。

空海と最澄が決別したのはなぜ？

平安時代 空海

　最澄は、平安時代を代表する名僧で、日本で天台宗を開いた人物。じつは、空海と同じ年に別の遣唐使船で唐に渡っている。もっとも、この時の2人の立場は大きく違った。空海がまだ無名の僧だったのに対し、最澄はすでに有名な僧だった。

　空海よりも一足先に日本に戻った最澄は、唐で学んだ天台宗を日本に広め、ますます名声を高めていた。そんな時、空海が唐で本格的な密教の奥義を授けられたことを知り、ぜひその密教を学びたいと思った最澄は、自分の方が格上にもかかわらず、礼を尽くして空海に密教の経典を貸してくれるように頼んだ。空海は快く応じ、ここから2人の交流が始まった。さらに最澄は本格的に密教を学ぼうと、格下の空海に弟子入りまでした。

　ところが、修行の大切さを理解しながらも、経典を読めば内容は理解できると考える最澄と、修行してこそ本当の理解が得られると考える空海の間には、やがて溝ができるようになった。さらに、最澄が望んだ密教の奥義書の貸し出しを空海が断ったことや、最澄の愛弟子が空海の元に行ってしまったことなどから、本格的に決別してしまったのである。

▲最澄は、密教の重要性を認めながらも、仏教の中心はあくまでも天台宗で、わかる範囲で密教の教えを天台宗に取り入れようと考えていたようだ。しかし、密教こそ仏教そのものと考える空海には、そのような最澄の考えは、とうてい見過ごすことのできないものだったのだろう

　空海がみかんを日本に伝えたという伝説がある。空海は、唐から密教の経典のほかに、さまざまなものを日本にもたらしたが、そのなかにみかんもあったという。京都の乙訓寺には、その時空海が持ち帰って植えたとされるみかんの木が、今も元気に実をつけている

10 平安時代最高の権力者
藤原道長

活躍した時代：平安時代
生没年：966〜1027年

冠
平安時代、冠や烏帽子など頭にかぶるものは、貴族男性にとって重要なアイテム。当時、人前で頭を見せるのは、今でいえば下着姿を見られるくらい恥ずかしいことだったという。

時代の流れ

平安時代、ライバル貴族たちを次々と蹴落として出世していったのが、中臣鎌足を祖とする藤原氏だ。とくに9世紀後半以降には、摂政や関白（ともに天皇の補佐役）の座を独占して、政治の実権を握るようになっていった。そして、10世紀末、藤原道長の登場で藤原氏の権力は最盛期を迎える。

藤原道長の人物像

藤原道長は、平安時代の政治家。関白・藤原兼家の5男として生まれた。若くして出世を重ねたが、道隆、道兼という有力な兄がいたために、どちらかといえば、藤原氏の中でも隠れた存在だった。

ところが、父兼家の死後、関白を継いだ道隆、道兼が相次いで死んだために権力を握るチャンスが転がり込んできた。道長は、次期関白を狙うライバルの藤原伊周（死んだ兄・道隆の子）との権力争いに勝ち、995（長徳1）年に天皇から**内覧**の許可を得た。これは関白になったのと同じことで、これ以降、道長は政治をリードする存在となる。

また、道長は盤石な権力を手に入れるために、4人の娘たちを天皇の后にした。そして、生まれた3人の子どもが次々と天皇になると、その**外戚**として絶対的な権力を握った。

「この世をば 我が世とぞ思ふ 望月の 欠けたることも なしと思へば（満月に欠けたところがないように、この世も欠けるところなく、すべてが私のもののようだ）」

これは53歳の時、3人の天皇の祖父となって、権力の絶頂期にあった道長が詠んだ歌だ。道長は、その息子・頼通とともに、藤原氏による**摂関政治**の最盛期を作ったのだった。

🔑 キーワード

▶内覧
政治関係の書類を天皇に先だって見て、天皇を補佐すること、またはその役職のことをいう。関白に準じる役。

▶外戚
母の父や祖父など、母方の一族のこと。平安時代は、生まれた皇子は、母方の家で暮らしたので、外戚の影響力がとても大きかった。権力を握るためには、天皇の外戚になることが必要だった。

▶摂関政治
摂政や関白になって政治を行うこと。摂政は天皇が幼い頃の補佐役で、関白は成人してからの補佐役。9世紀後半以降に始まり、藤原道長、頼通親子の時に最盛期を迎えた。

平安時代

藤原道長

道長も恐れた末法の世

　仏教では、仏教を開いたシャカの入滅（死ぬこと）から1500年（2000年という説もある）後の世の中は、仏の教えが失われ、災害が起き、社会が乱れると考えられていた。これを末法の世という。

　ちょうど藤原道長が生きた平安時代は、末法の世に入ったと考えられていて、人々の間で末法思想が流行した。

　人々は現実社会に不安を抱き、阿弥陀如来にすがった。阿弥陀如来とは、西方にあるという極楽浄土の中心にいて、生きとし生けるものすべてを救ってくれるという仏。阿弥陀如来にすがれば、死後に極楽浄土に生まれ変わることができるというのだ。

　末法を恐れたのは、道長も例外ではない。この世で栄耀栄華を極めた道長も、晩年は病気がちとなり、自らが建立した法成寺にこもって、極楽浄土に生まれ変わることを願った。

　道長が死ぬ時、親族たちが臨終の床にあった道長を法成寺の阿弥陀堂に運び、9体の阿弥陀如来像から伸ばした9本の糸を手に握らせた。そして、その道長の周囲を大勢の僧侶がとりまいて極楽浄土に生まれ変わることを願う儀式を執り行ったという。

▲道長は極楽浄土に生まれ変わり、あの世でも栄華を極めようとしたのかもしれない

出世は女性のおかげ！

　藤原道長が栄華を極めた裏には、天皇の母となった3人の娘をはじめとする、女性たちの力があった。中でも道長の姉・詮子の力は大きかった。彼女は時の一条天皇の母でもあり、大の道長びいきだった。ライバル伊周との権力争いでは、彼女が一条天皇に口添えをしたことで、道長の勝利が決まったのである。

呪いと怨霊の平安時代

平安時代　藤原道長

きらびやかな平安時代。しかし、この時代に生きる人々は呪いや怨霊をとても恐れていた。そもそも、都の平安京自体、怨霊を封じるための仕掛けがほどこされたパワースポットだったともいわれている。

平安京には、中国から伝わった四神相応という考えが反映されているという。東に川、西に道、南に池、北に山を配すことで、東西南北を守る青龍、白虎、朱雀、玄武という四神のエネルギーが最高に発揮され、平安京は霊的に守られた都になっているというのだ。

しかし、それでも貴族たちは怨霊や呪いを恐れていた。権力争いの激しい平安時代、それに敗れた者たちが恨みを持って怨霊となると考えられていた。また、ライバルの出世の足を引っ張ろうと、呪いをかけることも多かった。実際、呪いをめぐる裁判の記録も残されている。

そこで貴族たちは陰陽師に頼った。陰陽師は陰陽寮という役所に所属する朝廷の正式な役人で、天文や暦などの学問を専門にしていたが、占いや呪い封じの術なども行った。また、朝廷の役人ではない、アマチュアの陰陽師もかなりいたようだ。

陰陽師と言うと、安倍晴明の名前を思い出すかもしれない。晴明は実在の陰陽師で、藤原道長の信頼厚い人物だった。平安時代に書かれた説話集などの中では、道長にかけられた呪いを解いて、道長の命を救う活躍を見せている。

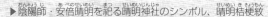

▶陰陽師・安倍晴明を祀る晴明神社のシンボル、晴明桔梗紋

聖徳太子の冠位十二階以来、朝廷には役人の身分階級があった。平安時代には全部で30階級あり、最上級の位から、正一位、従一位、正二位…と数字が少ない方が、階級が上になっている。その中で従五位の下以上の者を貴族と呼んだ。

11 清少納言

『枕草子』を書いた宮中の才女

活躍した時代：平安時代
生没年：966?～1025?年

長い髪

平安時代の女性は、黒く長い髪が美人の条件の１つだった。長ければ長いほどよいとされ、身長よりも長い髪を持つ人もいたという。

十二単

女房の正装で、女房装束ともいう。着物を何枚も重ね着するのでその名がついたが、12枚重ね着するとは限らない。着物の色の重ね方が、センスの見せどころ。

時代の流れ

平安時代中期。雅な貴族文化が真っ盛りの頃、都の宮殿の奥（宮中）では、女官と呼ばれる女性たちが数多く働いていた。彼女たちの中には、文学的才能を開花させた才女が多くいた。藤原道長が栄華を極める少し前、宮中で活躍していた清少納言もその１人である。

清少納言の人物像

清少納言は平安時代の作家、歌人。父は清原元輔という、当時有名な歌人だった。ちなみに彼女の本名は伝わっていない。この時代の女性は、どんなに有名な人であっても、本名が分からないのがほとんど。清少納言というのは**女房**名で、父の清原元輔が少納言という役職だったことにちなんでいる。

成人した清少納言は、結婚と離婚を経験した後、993（正暦4）年に**一条天皇**の妃・定子に仕えることになった。この定子という女性は、当時の最高権力者だった関白・藤原道隆（藤原道長の兄）の娘で、一条天皇にとても愛された女性だった。

才能にあふれ機転のきく清少納言は、この定子にとても信頼された。また、宮中でも人気者になり、多くの貴族たちと交流を深めたといわれる。そして、宮中の出来事や感想などを長短300編の文章で書いた『枕草子』を残した。この『枕草子』は、**随筆**文学の名作とされ、現在では、鎌倉時代の鴨長明が書いた『方丈記』、吉田兼好が書いた『徒然草』と合わせて日本の三大随筆文学といわれている。

1000（長保2）年に定子が25歳という若さで亡くなると、清少納言は宮中から去った。その後の彼女の人生は、よくわかっていない。

キーワード

▶女房

宮中や上級貴族などに仕える女性のことを女官といい、そのうち、自分の個室を与えられた人を女房という。また、女房名とは、女官が主人に仕える時に名乗る名前のこと。

▶一条天皇

平安時代中期の天皇で、藤原道隆の娘・定子のほかに多くの妃がいた。藤原道長の娘・彰子もその1人。定子と彰子の2人は正妻とされたので、ほかの妃よりも位が高かった。

▶随筆

文学のジャンルの1つ。英語でいうエッセイ。筆者が体験したことや見聞きしたこと、感想や意見などを自由な形式で書いたもの。

平安時代

清少納言

清少納言は「ワタシ自慢」が得意!?

　清少納言の『枕草子』には、自分の自慢話がちらほらある。なかでも有名なのが、「香炉峰（中国にある山の名前）の雪」のエピソードだ。

　雪が降り積もるある日のこと。清少納言は定子やほかの女房たちとおしゃべりを楽しんでいた。あまりに寒いので、この日は火鉢で火を焚き、雨戸も閉めていた。すると定子が、「香炉峰の雪はどうかしら」と尋ねた。何のことかわからずきょとんとする女房たち。そんななか、清少納言が雨戸を開けてすだれを上げさせると、定子は満足そうににっこり。

　じつは中国の詩人の有名な詩に、「香炉峰の雪はすだれを上げてみる」という一節があり、定子の問いかけはこれを踏まえたもので、「すだれを上げなさい」という意図だったのだ。女房たちの中で清少納言だけがそれを理解して、行動に移したのだった。

　そんな機転のきく清少納言を、ほかの女房達は「やはり清少納言様のような方でないと、とても定子さまにお仕えできませんわ」とほめそやした……と、清少納言は自分で自慢げに書いているのだった。

　もっとも、別の場所で、「自分の自慢話を書くのは気恥ずかしいけど、みんなが書けと言うので書いている」という言い訳もしている。

▲当時のすだれを「御簾」という

清少納言は道長のスパイ？

　藤原道長は、清少納言が仕えた定子の兄・藤原伊周の出世競争のライバルだった。定子の信頼厚い清少納言だったが、なぜかこの道長のスパイだと噂を立てられたことがあった。全く身に覚えのないことに落ち込んだ清少納言は実家に引きこもってしまい、定子から「戻ってほしい」と何度も手紙をもらっても、しばらく戻ってこなかったという。

もっと知りたい 今と意味が違う？『枕草子』に見る昔の言葉

平安時代　清少納言

『枕草子』を読むと、今とは違う意味で使われている言葉がたくさんあることに気づく。その中からいくつかを紹介してみよう。

●「をかし（おかしい）」

「夏虫、いとをかしう、らうたげなり」

意味：夏の虫はとても興味深くかわいらしい

「をかし（おかしい）」は、今と意味の違う代表的な言葉の1つ。今では「おかしい」といえば、「面白くて笑ってしまう」というような意味だが、清少納言の頃は、「趣がある」という意味で使われていた。

●「ありがたい」

「ありがたきもの、舅にほめらるる婿」

意味：めったにないもの。舅に褒められるお婿さん

今では「人の親切に感謝する」という意味だが、「めったにないこと」というような意味で使われていた。

●「うつくしい」

「うつくしきもの、瓜に描きたる稚児の顔」

意味：かわいらしいものといえば、瓜に描いた子どもの顔

「美しい」は、小さい者や年少者について「かわいらしい」という意味で使われていた。清少納言の時代のやや後から、現在のように美しいという意味に使われるようになったらしい。

●「すさまじい」

「すさまじきもの（中略）牛死にたる牛飼い」

意味：期待はずれでがっかりなものは、牛の死んでしまった牛飼いだ

今では「すさまじい」というと、「ものすごい」というような意味で使われるが、清少納言の時代は、「期待はずれ」という意味で使っていたようだ。この文の場合、牛飼いなのに（死んで）牛がいないのは「期待はずれ」ということ。

平安時代の人々は「樋箱」という簡易トイレで用を足した。高貴な人は、トイレに行きたくなると、トイレ係の女官を呼んだ。トイレ係の女官はすばやく間仕切りで小部屋を作り、その中に樋箱を置いた。高貴な人が用を足した後は、中身を川などに流し、樋箱を洗って次に備えたという。

世界初の長編小説作家

12 紫式部

活躍した時代：平安時代
生没年：?年〜?年

ひらがな

ひらがなやかたかなは、漢字をもとにして平安時代に生まれた。たとえば、「安」からは「あ」が、「以」からは「い」という具合だ。当時、ひらがなは主に女性が使った。

紙

平安時代、紙は貴重品だった。紫式部と清少納言どちらにも、作品を書くための紙をプレゼントされて、とても喜んだというエピソードが残っている。

時代の流れ

平安時代、女房の仕事は主人である姫君の世話だった。そして、女房の善し悪しは、そのまま仕える姫君の評判につながった。自分の出世のために娘の彰子を一条天皇の妃にした藤原道長は、宮中での彰子の評判を高め、一条天皇の愛情を得られるように、紫式部という最高の女房を用意した。

平安時代 紫式部

紫式部の人物像

　紫式部は平安時代の歌人、作家。父は学者である藤原為時。清少納言と同じように、紫式部は本名ではない。「紫」については、彼女が書いた『源氏物語』の登場人物・**紫の上**にちなんでいるなど様々な説がある。また、「式部」については、父あるいは兄弟の官位から取ったものだと言われている。

　学者の家に生まれた紫式部は、幼い頃から学問や**和歌**、音楽に親しんで育った。大人になって藤原宣孝という貴族と結婚して女の子を1人生んだが、結婚して2年後、夫の宣孝は病であっけなく死んでしまう。この後、紫式部は、夫の死で落ち込んだ気持ちを慰めるかのように、1つの物語を書き始めた。それが、世界初の長編恋愛小説『源氏物語』だったといわれている。

　この『源氏物語』は貴族たちの間で評判になった。そして、1005（寛弘2）年、その評判を聞きつけた藤原道長に請われて、道長の娘で一条天皇の妃・**彰子**の女房として仕えることになった。

　紫式部は宮中でも『源氏物語』を書き続けて完成させたという。現在は、日本だけでなく、翻訳されて世界中の多くの国で読まれている。また、彼女はすぐれた歌人でもあり、数々の歌を残した。

🗝 キーワード

▶紫の上
『源氏物語』の主要な登場人物の1人。物語の主人公である光源氏の最愛の女性として描かれている。

▶和歌
飛鳥時代から行われている、日本独特の詩。5音の句と7音の句の組み合わせでできている。平安時代になると、5・7・5・7・7の、合計31文字で出来ている短歌のことを指すようになった。

▶彰子
藤原道長の長女。999（長保1）年に一条天皇の妃の1人となり、翌年に正妻になった。この時、すでに定子という正妻もいたため、一条天皇には2人の正妻がいるという状況になった。

59

紫式部は超毒舌評論家!?

「偉そうな顔をしている鼻持ちならない人。利口ぶって漢字を書いているが、よく見れば間違いが多い。こういう人の将来はろくなことがない」。

これは紫式部の残した清少納言についての評価だ。なんともひどい悪口が書き連ねられている。2人は仲が悪かったのだろうか。

平安時代の二大作家である紫式部と清少納言は、それぞれ一条天皇の妃だった彰子と定子に女房として仕えていた。ところが、仕えていた時期が違ったので、2人は仲が悪いどころか、実際に宮中で顔を合わせたことすらなかったのだ。それでも、後から宮中に入った紫式部にとって、評判の良かった清少納言は目の上のたんこぶといえる存在だったのかもしれない。

紫式部は清少納言に限らず、ほかの女房たちにもしばしば手厳しい評価をしている。たとえば、恋多き女性として有名な和泉式部という女房がいた。彼女は紫式部と同じく彰子に仕えていて、すぐれた歌人としても知られていたのだが、「彼女は品行が悪い。なかなか面白い歌を作るけれども、こちらが恐れ入るというほどでもない」と辛口だ。もっとも悪口ばかり書いているわけでもない。赤染衛門という女房には、「彼女の作る歌はすばらしい」と手放しで褒めている。

◀ 紫式部が若い日を過ごした福井県にある紫式部公園内に立つ紫式部像

後輩思いの紫式部

奈良の興福寺から宮中へ八重桜が届けられる儀式でのこと。紫式部は、この桜を受け取るという大役を後輩の伊勢大輔に譲った。この儀式では、桜を受け取ると即興で歌を詠むことになっていた。伊勢大輔は見事な歌を披露し、立派に役目を果たした。紫式部が彼女の歌の才能を見込んで大役を譲ったのだとしたら、なかなかの後輩思いだ。

『源氏物語』ってどんな話？

平安時代

紫式部

「いづれの御時にか、女御、更衣あまたさぶらひたまひけるなかに、いとやむごとなき際にはあらぬが、すぐれて時めきたまふありけり。」

（現代語訳）
どの帝（天皇）の時代だったでしょうか。女御や更衣（どちらも天皇の妃の身分）といったたくさんの美しい方々がいる中で、身分がとても高いわけではないけれど、特別に帝に愛されている方がいらっしゃいました。

こんな一文で始まる『源氏物語』は、天皇の子に生まれながら、皇族からはずされ、臣下の身分になった主人公・光源氏と、彼を取り巻く女性たちとの恋を描いた恋愛物語。光源氏は、その名が示すように、光り輝く美しさを持つ貴公子で、教養にあふれ、女性ならずともあこがれる、じつに魅力的なキャラクターだ。

物語は、全54帖（巻）からなり、大きく3部に分かれている。
第1部は1〜33帖で、光源氏の誕生から、天皇の臣下として栄華を極めるまで。第2部は34〜41帖で、栄華を極めたはずの光源氏の不幸な晩年について。第3部は42〜54帖で、光源氏が亡くなった後、源氏の子どもの薫と、孫の匂宮を主人公とした物語になっている。とくに第3部の最後の10帖は、京都の宇治が舞台となっているので、「宇治十帖」と呼ばれる。

▶『源氏物語』は、翻訳されて世界各国で親しまれている、日本を代表する古典文学だ

『源氏物語』など、当時描かれた作品には、ねこがペットとして出てくることがある。ねこは当時、中国から輸入され、とても高価なペットだった。ちなみに、ねこを最初にペットにしたのは、今から5500年ほど前のエジプトの人たちだったといわれている。

13 平清盛

平氏の繁栄を築いた武門の棟梁

活躍した時代：平安時代
生没年：1118～1181年

坊主頭
清盛は晩年、自分の病気をきっかけに出家した。その後は出家姿だった。

時代の流れ

平安時代の半ば、地方では「平将門の乱」など、たくさんの戦乱が起きた。それらは武士たちによって鎮圧され、以降武士たちの力が強大化していった。やがて源氏と平氏という2つの武士団が頭角を現す。そして平安時代後期、武士たちの時代がやってこようとしていた。

平安時代

平清盛

平清盛の人物像

　平清盛は平安時代の武将、政治家。平安京に都を移した桓武天皇の子孫である平氏の一族で、瀬戸内海の海賊退治に活躍した平忠盛の子に生まれた。平氏は軍事貴族として早くから都の貴族や皇族と結びつき、勢力を広げていた。清盛も若い頃から出世を重ねていった。

　1156（保元1）年に、**院政**を行っていた崇徳上皇と、後白河天皇の間で権力をめぐる争いが起きると、源氏の**棟梁**の源義朝とともに後白河天皇に味方して勝利に導いた（保元の乱）。さらに、1159（平治1）年に、清盛に不満を持った源義朝がクーデター（武力で政権を手に入れようとすること）を起こすと、それを鎮圧して平氏の地位を盤石なものにした（平治の乱）。

　平治の乱後も清盛は出世を重ね、1167（仁安2）年に**太政大臣**にまで上りつめる。これは、武士としては異例の出世だった。さらに1179（治承3）年には反平氏の動きを見せた後白河上皇を幽閉して権力を奪い、その翌年に高倉天皇に嫁いだ娘が産んだ子を天皇に即位（安徳天皇）させて朝廷の実権を握った。こうして、清盛は史上初の武家政権を打ち立てた。

　しかし、権力の独占が多くの反発を招いた結果、清盛の死後に平氏は力を失い、源氏の源頼朝によって滅ぼされてしまった。

🗝 キーワード

▶院政
天皇の座を退いた上皇（法皇）が、実権を握って政治を行うこと。1086（応徳3）年に白河上皇が始めたのが最初とされる。院政が始まり、摂関政治は終わりを告げた。

▶棟梁
「棟」と「梁」はともに、建物を支える大事な部分のこと。そこから転じて、集団を率いるリーダーのことを表すようになった。

▶太政大臣
律令制の中の最高の役職。もともとは皇族だけが任命される役職だったが、平安時代になると、貴族である藤原氏が独占した。武士が太政大臣になるのは異例のことだった。

63

清盛の政治は新しくて古い？

　史上初の武士による政権をつくった平清盛。彼は当時としては斬新な政治を行おうとした。それは、都である京都を中心にするのではなく、摂津国（兵庫県）の福原と大輪田泊（現在の神戸）を中心にした政治だ。

　父・忠盛の時代から平氏は宋（中国）との貿易（日宋貿易）に力を入れ、巨万の富だけでなく、海外の進んだ文化を手に入れていた。こうした日宋貿易の利点を十分理解していた清盛は、この貿易の拡大に力を入れようとした。そのためには、海から遠い京都よりも、宋船が入る港の近くを政治の中心にしたほうがいい。そう考えた清盛は、大輪田泊という港を改修し、その近くの福原に都を移す計画を立てた。この遷都計画は源頼朝の挙兵によってうやむやになってしまうのだが、清盛は、外国との貿易を足がかりにして、世界の国々と渡り合う世界の中の「日本」を目指していたのかもしれない。

　海外に目を向けた新しさの一方で、清盛の政治には古さもあった。高い地位を平氏で独占したり、娘を天皇に嫁がせ、生まれた子を天皇にして権力を握ったりするなどのやり口は、藤原氏が行った摂関政治そのままだ。残念ながら、この古さが平氏没落の原因になってしまった。

広島県、「音戸の瀬戸」にある平清盛日招き像。右のコラムを見よう！

太陽も止める清盛の権力！

　広島県にある音戸の瀬戸は、日宋貿易のために清盛が切り開いた海峡だと言われているが、こんな伝説が残っている。ここを切り開く時、なかなか作業が進まず時間が足りなくなったため、清盛は夕陽に扇をかざして「日よ戻れ！」と叫んだ。すると、沈みかけていた太陽が動きを止めたという。

もっと知りたい 武士の時代がやってきた！

平安時代　平清盛

　日本に武士が誕生したのは、10世紀のこと。彼らは一族郎党を家臣として率いて武士団を作った。武士団は、力のある人物を棟梁にしてさらに大きな武士団を形成していった。こうして生まれた武士団の力を世の中に知らしめることになった最初の事件が、10世紀前半に起きる。

　939（天慶2）年、関東地方に勢力を持つ平氏の一族・平将門が、新皇を名乗って朝廷に反乱を起こすと、示し合わせたかのように、瀬戸内海で藤原純友という武士が反乱を起こした。日本の東と西で同時に起きたこの武士の反乱に朝廷は手を焼き、ほかの武士の力を借りてなんとか鎮圧に成功した。これを承平・天慶の乱という。

　このとき活躍した武士の中に、平貞盛と源経基がいた。この2人こそ、平安時代後期に武士の2大勢力となる平氏と源氏の先祖に当たる人物だ。

　やがて源氏は、東北地方で起きた2度の戦い（前九年合戦、後三年合戦）で関東の武士たちを率いて戦ったことをきっかけに、関東に勢力を広げていった。一方の平氏は、院政を行う上皇と深く結び付くとともに、瀬戸内海の海賊を討伐したことで、西日本を中心に大きな勢力を築いていった。そして、平清盛が活躍した保元の乱と平治の乱の後、武士が主役の時代がやってきたのである。

▶平将門の首塚（東京都千代田区）
乱に敗れた将門の首を祀っている

豆知識

　平清盛には妖怪退治にまつわる伝説がある。都を福原に移そうとした時のこと、清盛の屋敷に妖怪が出現した。それは数え切れないほどの骸骨が合体した妖怪だった。妖怪はたくさんある目で清盛をにらみつけたが、清盛がにらみ返すと、すーっと消えてしまったという。

14 平氏を滅ぼした天才武将
源義経(みなもとのよしつね)

活躍した時代：平安時代
生没年：1159～1189年

鏑矢(かぶらや)
矢を放つと、やじりの根元についた鏑が音を立てて飛んでいく。この時代の合戦は、両軍がこの矢を放つ事が開戦の合図になった。

大鎧(おおよろい)
平安時代～鎌倉時代の高級武士が着た鎧。主力武器が弓矢だったこの時代、弓を射やすく、矢を防ぐための工夫がされていた。

時代の流れ

　12世紀後半、平清盛のもとで栄華を極め、権力をほしいままにする平氏の姿に、人々は不満を持つようになった。そして次第に平氏に敗れた源氏に期待する声が高まっていった。1180年、ついに源氏の棟梁・源頼朝が平氏打倒に立ち上がる。その頼朝のもとに、弟・義経が駆けつけた。

源義経の人物像

平安時代 / 源義経

　源義経は平安時代の武士。平治の乱で平清盛に敗れた源義朝の九男。兄に鎌倉幕府を開いた源頼朝がいる。幼い頃は牛若丸と呼ばれていた。

　わずか2歳の時に、平治の乱で父・義朝を失った義経は、家族と別れて京都の鞍馬山で少年時代を過ごした。その後、鞍馬山を抜け出した義経は、平泉（岩手県）を根拠地とする奥州藤原氏の藤原秀衡の保護を受けてたくましく成長した。

　1180（治承4）年に、兄の頼朝が平氏打倒の兵を挙げると、これを知った義経は頼朝の元に駆けつけた。以降、もう1人の兄・範頼とともに、平氏追討の大将となり、各地を転戦することになる。

　1184（元暦1）年2月に一の谷（兵庫県）の戦いで平氏を破ると、その後も連戦連勝で、ついに1185（元暦2）年に壇ノ浦（山口県）の戦いで平氏を滅ぼした。

　しかし、義経が頼朝の許可なく勝手に朝廷の官職をもらったことから、兄弟の仲が悪くなってしまう。やがて対立は決定的なものとなり、頼朝は義経討伐の兵を挙げた。頼朝の軍勢に追われた義経は、奥州藤原氏を頼って平泉に逃げ込んだ。しかし、頼朝の力を恐れた秀衡の子・泰衡により攻められて衣川で自害した。

🔑 キーワード

▶鞍馬山

京都府京都市左京区にある山。毘沙門天を本尊とする鞍馬寺があり、幼い義経はここで仏門に入って修行していた。鞍馬山には天狗がいて、義経に武芸を教えたという伝説がある。

▶奥州藤原氏

平泉を中心に勢力を持った東北地方の豪族。奥州とは今の東北地方のこと。藤原清衡に始まり、基衡、秀衡、泰衡と4代続いた。4代目の泰衡の時に、源頼朝に滅ぼされた。

▶衣川

今の岩手県胆沢郡の、衣川流域を中心とした地域の昔の地名。現在は奥州市となっている。この地にあった館で、源義経は自害した。

戦の天才！ 源義経

　戦の天才・源義経の戦い方は、一言でいえば「常識破り」。大胆な発想力と、それを実行する行動力によって、連戦連勝を続けたのだ。
　「一の谷（兵庫県）の戦い」では、誰もが降りられるはずがないと思う断崖絶壁を馬で駆け下りて平氏軍を奇襲したという。まさかそんなところから攻めてくるとは思いもよらなかった平氏軍は大混乱して戦うどころではない。海を渡って屋島（香川県）に逃げ、義経は大勝利を収めた。
　続く屋島の戦いでは、平氏の背後を攻撃するために、海を渡って四国に上陸しようとした義経。この時、海は暴風雨により大荒れだったが、こんな思いがけない時に攻めてこそ勝てると、反対を押し切って海を渡りきり、奇襲を成功させた。
　平氏を滅ぼした壇ノ浦（山口県）の戦いでも、義経の「常識破り」な作戦が光った。海の上での大決戦となったこの戦い。船を使った戦いでは、平氏の方が一枚上と見られていたが、義経は兵士ではなく、無防備な船の漕ぎ手を狙うという作戦を実行。漕ぎ手を倒された平氏の船は、思うように戦うことができなくなった。これにより源氏は有利に戦いを進め、ついには平氏を滅ぼしたのだった。

◀源氏の白旗、平氏の赤旗。源氏と平氏の戦いでは、源氏が白旗を、平氏が赤旗を掲げて戦った。運動会などで赤組と白組に分かれて戦うのは、源平合戦にちなんでいる

義経の八艘飛び

　壇ノ浦の戦いの時のこと。平氏一の勇猛な武将・平教経が、義経の乗る船に切りこんできた。この大ピンチに、身軽な義経はひらりと跳び上がって、別の船に乗り移った。これを義経の八艘跳びという。しかし、いくら身軽とはいえ重い鎧を身に付けてひらりと跳び上がることが本当にできたのか……真実は不明である。

那須与一の扇の的

平安時代 源義経

　数ある源平の合戦のエピソードの中でも有名なのが、屋島の戦いでの「那須与一の扇の的」だろう。このエピソードについて、『平家物語』をもとに紹介しよう。

　屋島の平氏を攻めた義経。夕暮れになったために一時休戦とした。すると、沖の方から飾り立てた平氏の小船がやってきた。船の上には18、9歳の美女。日の丸が描かれた扇を竿の先にはさんで立てて、手招きをする。どうやら「この扇を射てみよ」ということらしい。義経は、弓上手で知られる那須与一という若い武士に、「あの扇を射抜け」と命じた。

　扇までおよそ70メートル。強い風で小舟が揺れて扇の位置が定まらない。「八幡大菩薩（源氏の守り神のこと）さま……この矢を外させないでください！」。与一が強く念じて矢を射ると、見事扇の要のそばを射抜いた。扇は空に舞い上がって海に落ちた。平氏も源氏も、敵味方を忘れて与一をほめたたえたという。

　あまりに感激したのか、小舟の中から50歳くらいの男が出てきて舞を舞いはじめた。すると、義経の側近が与一に近づき、「殿の命令だ。あの男を射よ。」という。与一が命令に従って男を射落とすと、先ほどまで沸いていた平氏は静まり返ってしまった。これを見て、「よく射た」という人もいれば、「心ないことを」と顔をしかめる人もいた。

衣川で自害した義経だが、「実は死んでいなかった」という伝説が数多い。なかでもスケールが大きいのはモンゴルの英雄チンギス・ハーンになったというもの。源氏の旗とチンギス・ハーンの旗が似ているなど、もっともらしい理由があるが、ただのおとぎ話と思った方がいいようだ。

69

奈良時代〜平安時代

華やかさと格差の奈良時代

710（和銅3）年、元明天皇が奈良の平城京に都を移しました。ここから、京都の平安京に都が移されるまでを、奈良時代といいます。

奈良時代には朝廷の力が九州から東北地方にまで及ぶようになりました。また、遣唐使船が送られて中国の文化が日本に入ってくるようになると、その影響を受けた華やかな天平文化が花開きました。

一方で、人々の間では格差が広がっていきました。貴族など、自分で土地を開発する余裕のある人はどんどん豊かになりましたが、農民たちは重い税に苦しめられて、厳しい生活を送っていました。

およそ400年続いた平安時代

794（延暦13）年、桓武天皇が京都の平安京に都を移しました。ここから、鎌倉幕府が成立するまでの、およそ400年を平安時代といいます。

平安時代の初期に、貴族たちの権力が強くなっていきます。そして、9世紀後半に藤原氏が摂政・関白（ともに天皇の補佐役）を独占して権力を握り、政治を行うようになりました。これを摂関政治といいます。摂関政治は藤原道長、頼通親子の頃に最盛期を迎えます。ところが11世紀になると、上皇（引退した天皇）が権力を握って政治を行う院政が始まり、権力は藤原氏から上皇に移って、摂関政治は衰えていきました。

一方、10世紀頃に戦闘のプロフェッショナル・武士が誕生し、やがて力を持つようになります。平安時代末から、武士の時代が始まります。12世紀末には平清盛による初の武家政権も誕生しました。そして、平氏と源氏、2つの武士団の争いの後、源頼朝によって鎌倉幕府が誕生することになります。

鎌倉時代～室町時代

源頼朝が鎌倉幕府を開き、武士による政治が始まった。やがてモンゴル襲来などで力を弱めた鎌倉幕府が滅びると、足利尊氏によって、室町幕府が誕生した。しかし、次第に将軍が力を失っていくと、各地で有力大名同士が争いあう戦国時代が始まった。

鎌倉時代

源頼朝
1147年～1199年

親鸞
1173年～1262年

北条時宗
1251年～1284年

室町時代

足利尊氏
1305年～1358年

足利義満
1358年～1408年

足利義政
1436年～1490年

雪舟
1420年～1506?年

ザビエル
1506年～1552年

武田信玄
1521年～1573年

15 鎌倉幕府を開いた源氏の棟梁
源頼朝

活躍した時代：鎌倉時代
生没年：1147〜1199年

直垂
平安時代の庶民が着ていた上着と袴で1セットの服。もともと作業用の服で動きやすかったため、鎌倉時代になると、武士の服として広まった。

時代の流れ
平安時代末期、「平氏にあらずんば、人にあらず」といわれるほど栄えた平氏の政治に、朝廷や貴族、東国（現在の愛知県より東）の武士たちの不満が高まっていた。そして1180（治承4）年、皇族の1人・以仁王が平氏追討を呼びかけて兵を挙げた。これに応じて源頼朝が立ち上がった。

源頼朝の人物像

源頼朝は、平安時代から鎌倉時代にかけての武将、鎌倉幕府の初代将軍である。平治の乱で平清盛に敗れた源義朝の3男で、弟に義経がいる。

13歳の時、平治の乱で父・義朝とともに平氏と戦ったが、敗れて捕らえられた。命だけは助けられた頼朝は伊豆に流され、20年間を過ごす。

1180（治承4）年、以仁王の平氏追討の令旨（命令書）に応じて伊豆で兵を挙げた。初戦に敗れたが、房総（千葉県）まで無事に逃げのびると、富士川の戦いで平氏に初勝利。また、関東地方の武士たちと主従関係を結んで**御家人**とし、鎌倉を拠点に関東地方での支配体制をかためた。

この間、京都の平氏は、同じ源氏の源（木曽）義仲が追い払っていた。この義仲と対立するようなった頼朝は、弟の義経を京都に送ってこれを討たせた。さらに義経に平氏を攻撃させ、1185（文治1）年に壇ノ浦の戦いで平氏を滅ぼした。

ところが、今度はその義経と対立。頼朝は義経追討の名目で、全国に**守護・地頭**を置くことを朝廷に認めさせた。これにより頼朝は、全国的に支配力を及ぼすことができるようになった。その後、義経をかくまった奥州藤原氏を滅ぼし、1192（建久3）年に念願の**征夷大将軍**に任命された。これ以降武家による政権は江戸時代まで続くのである。

🔑 キーワード

▶御家人
鎌倉幕府において、将軍と主従関係を結んだ武士のこと。新しい領地をもらう「御恩」に対して、将軍のために一族で働く「奉公」を行うことが基本になっている。

▶守護・地頭
ともに各国におかれた地方官で、守護は各国の軍事や警察の役割を担い、地頭は土地の管理や年貢の取り立てを行った。鎌倉幕府が全国を支配するための重要な役職だった。

▶征夷大将軍
もともとは平安時代初期に蝦夷の征討にあたった最高司令官。源頼朝の就任以来、武家の棟梁を象徴するものになり、武家政権のリーダーの役職になった。略して「将軍」。

頼朝は人使いが上手！

　源頼朝というと、鎌倉幕府を開いた英雄のわりには、弟の義経のような華々しいエピソードに乏しく、偉大な人物という感じが少ないと思う人も多いかもしれない。実際、戦だけでいえばライバルの義仲や弟の義経のほうが強かったはずだ。そんな頼朝が鎌倉幕府を開くことができた理由の１つに、人使いのうまさがある。

　頼朝が平氏追討を決意して兵を集めた時のこと。呼びかけに応じて集まった武士はまだまだ少なかった。頼朝は、彼らを１人ひとり部屋に呼び、「あなただけが頼りです」と頭を下げたという。すると武士たちは、それぞれ自分だけが頼りにされていると感激し、頼朝のために奮起した。

　また、平氏との戦いでは、弟・義経の軍事的才能を見抜いて追討軍の大将に抜擢した。活躍の場を与えられた義経は連戦連勝。ついには平氏を滅ぼしてしまった。このほかにも、朝廷との交渉や政治など、それぞれの役割に応じて、それが得意な人物を用いた。たとえば、もとは下級貴族の大江広元は、頼朝にその才能を見込まれて取り立てられると、次々と出世して、幕府の政治に欠かすことのできない人物となった。適材適所に人材を配置した頼朝のもと、家臣たちは思う存分力を発揮して、鎌倉幕府を盛りたてていったのだ。

▼将軍と御家人の関係―「御恩」と「奉公」

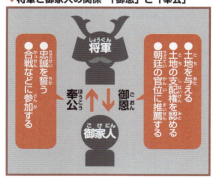

ラッキーな対平氏初勝利！

　頼朝が平氏に初勝利した「富士川の戦い」。この戦いでは、両軍が富士川をはさんで陣を置いた。翌日はいよいよ決戦という前の晩。源氏の兵士が移動する音に驚いた水鳥の大群がバタバタと飛び上がった。平氏軍は、その音を頼朝の夜襲だと勘違い。大混乱して、ほとんど戦うこともできずに逃げ出して行ったという。

もっと知りたい 頼朝最大の敵！「大天狗」後白河上皇

鎌倉時代 源頼朝

源頼朝の前には、数多くのライバルが立ちはだかった。平氏はもちろんのこと、同族の義仲や弟の義経もライバルだったと言っていいだろう。そんなライバルたちの中で、頼朝にとってもっとも手ごわかったのは、朝廷の最高権力者・後白河上皇だったかもしれない。

後白河上皇は、自分や朝廷の権力を保つためには利用できるものは何でも利用する人物だった。

最初は平清盛に目をつけ、清盛の力を利用して自分の権力を保とうとした。ところが、清盛たち平氏の一族が上皇をないがしろにし始めると、密かに平氏を倒す計略を練り始める。これは失敗して、逆に清盛に権力を奪われてしまった。

権力を自分の元に取り戻そうとした上皇は、清盛の死後、義仲を利用して、平氏を京都から追い出すことに成功する。ところが、義仲が自分の言うことを聞かなくなると、邪魔に思うようになり、今度は頼朝に近づいて義仲を討つように促す。やがて頼朝が力をつけると、その弟・義経を取り込んで、頼朝を討たせようとするのだ。しかも、義経が頼朝を討つのに失敗すると、その義経を見捨てて頼朝にすりよる始末。後白河上皇にとって、武士は自分の権力を守るための道具でしかなかったのだ。

頼朝はそんな後白河上皇のことを、「日本第一の大天狗（悪賢くて信用できない人物）」と呼んだという。

一昔前、鎌倉幕府が成立した年は、「いいくに（1192）つくろう鎌倉幕府」と覚えていた。頼朝が征夷大将軍になった1192年を鎌倉幕府成立としていたのだ。ところが近年はもっと早くに成立したと考えられている。一番有力なのが、頼朝が全国に守護・地頭をおいた1185年説だ。

16

浄土真宗を開いた名僧

親鸞

活躍した時代：鎌倉時代
生没年：1173〜1262年

頭髪

一時期、罪に問われて僧の資格を奪われていた親鸞は頭髪をのばしていた。僧でもなく普通の人でもない存在として暮らしていたのだ。

時代の流れ

平安時代末から鎌倉時代の初めにかけて、貴族に代わって武士が政治を行うようになり、庶民も力を付けてきていた。一方で、長く続く戦乱（源平の争乱）や相次ぐ天変地異で、人々の間には不安が広まっていた。鎌倉時代には、こうした人々の心を救うための新しい仏教が生まれた。

親鸞の人物像

親鸞は鎌倉時代に浄土真宗を開いた僧。範宴、綽空、善信とも名乗った。下級貴族の子に生まれ、9歳の時に出家。最澄が開いた比叡山延暦寺で修行して、天台宗を学んだ。しかし、修行してもなかなか自分の欲望を捨てきることができないことに悩んだ親鸞は比叡山を離れ、浄土宗という新しい仏教を開いた法然のもとを訪れる。そして、「南無阿弥陀仏ととなえれば（念仏）誰でも救われる」という法然の教えに共感した親鸞は、弟子入りして浄土宗を学んだ。

法然のこの教えは庶民にも分かりやすいものだったので、多くの信者を生み、どんどん広まっていった。しかし法然は、自分たちの勢力が弱まることに危機感を覚えた古い仏教勢力から睨まれ、やがて朝廷にも弾圧されるようになった。法然は、土佐国（高知県）に流され、親鸞も僧としての身分を奪われて、越後国（新潟県）に流されてしまう。

やがて許された親鸞は、法然の教えを発展させた教えを関東で広め、農民や武士を中心に、多くの信者を得るようになった。親鸞が広めた教えは、やがて浄土真宗と呼ばれるようになった。

浄土真宗は、その教えを受けた者たちによって全国に広まり、一大仏教勢力となっていった。

🗝 キーワード

▶浄土真宗
真宗や一向宗とも呼ばれる。鎌倉時代初期に親鸞が始め、農民や武士の間に広まった。一度でも心から念仏（南無阿弥陀仏）を唱えれば救われるという。

▶比叡山延暦寺
比叡山は京都府と滋賀県の県境にある山で、延暦寺は平安時代初期に最澄が開いた天台宗の総本山。平安時代以降、仏教の修行の場として有名。

▶浄土宗
平安時代末に法然が開いた。京都を中心に、貴族や武士の間に広まった。ひたすらに念仏を唱えれば救われるという。法然の死後、ここから多くの宗派が生まれていった。

鎌倉時代

親鸞

悪人こそ救われる？ 親鸞の教え

　親鸞は60歳になった頃に京都に戻って執筆活動などを通して自分の教えを深めていった。
　そんな親鸞の教えのキーワードは、「他力本願」と「悪人正機」。「他力本願」の「他力」は阿弥陀仏の救いのはたらきのことで、「本願」はすべての人々を極楽浄土に導こうという阿弥陀仏の心からの願いのこと。つまり、人間ができることには限りがあり、阿弥陀仏の「本願」の力にすがって初めて、人は極楽浄土に行けるということだ。
　もう1つのキーワード「悪人正機」は、「悪人こそが阿弥陀仏に救われる」という教え。一見すると何か間違っているようにも思えるが、この教えの裏には、「この世に善人などいない。人は誰しも心の中に悪をかかえているのだ。そして、自分が悪人であると自覚した人を、阿弥陀仏は優先的に救ってくださる」という思いが込められているという。
　念仏を唱える者はだれでもみな等しく阿弥陀仏の弟子であると考える親鸞は、自分の弟子をとろうとしなかった。しかし、親鸞の死後に、その教えは浄土真宗として広まり、現在でも多くの信者がその教えに救いを求めている。

▲流された親鸞が上陸したと伝えられる居多ケ浜。現在は広場として整備され、観光地となっている

親鸞には奥さんがいた！

　当時の仏教はどの宗派も厳しい戒律によって、僧が結婚することを許していなかった。しかし、親鸞はそのタブーを破って、恵信尼という女性と結婚した。親鸞は「結婚している者でも阿弥陀仏は救ってくださる」と考え、僧である自分がタブーを破って結婚することで、それを示そうとしたのだ。

もっと知りたい 鎌倉時代に生まれた新しい仏教

鎌倉時代

親鸞

　貴族の時代から武士の時代に移り代わった平安時代末から鎌倉時代の初め。庶民にも分かりやすい、さまざまな新しい仏教の教えが生まれ、武士や庶民を中心に人々の心をとらえていった。これらを鎌倉仏教という。

　鎌倉仏教は、大きく分けて３つの系統がある。１つは念仏（浄土宗）の系統。法然の浄土宗や親鸞の浄土真宗のほかに、全国を巡って念仏を唱えながら踊る「踊念仏」を広めた一遍の時宗がある。

　２つめは日蓮が開いた日蓮宗。「南無妙法蓮華経（題目）」を唱えれば成仏できるし、国も平和になると主張した。日蓮は、「ほかの宗派は間違っている！」と徹底的に攻撃したため、反感を買い、幕府から弾圧されることもあった。

　３つ目は座禅をすることで有名な禅宗の系統。これには、栄西が開いた臨済宗と、道元が開いた曹洞宗がある。臨済宗は、幕府の御家人たちに信者が多く、幕府の保護を受けて発展した。曹洞宗は逆に権力と慣れ合うことを嫌って、地方の武士や民衆の間に広まった。ちなみに、栄西は日本にお茶を飲む風習を広めた人としても知られる。

　鎌倉仏教の各宗派は、室町時代にさらに広まっていき、人々の間に浸透していった。

▶最澄が開いた比叡山。ここで紹介している鎌倉仏教を開いた人々は、みんな若い頃に比叡山で仏教を学んでいる

豆知識

　親鸞が朝廷から許されて越後国を離れる時のこと。親鸞のために開かれた宴会で、焼いた鮒が出された。親鸞がその鮒を手にとって池に放すと、なんと生き返って泳ぎ出したという。親鸞が流された新潟県には、このほかにも親鸞にまつわる伝説がたくさん残されている。

17 モンゴル襲来に立ち向かった執権
北条時宗(ほうじょうときむね)

活躍した時代：鎌倉時代
生没年：1251〜1284年

太刀
平安時代半ばから使われるようになった長さ70センチ以上の日本刀。奈良時代まで使われていた大刀と違い、湾曲した形になっている。刃の方を下にして、腰からつるす。

時代の流れ

13世紀後半、モンゴル帝国の5代目の大ハーン（君主）・フビライは、中国北部を手に入れて東アジアの広大な範囲を領土とし、国名を中国風に「元」と改めた。着々と領土を広げるフビライの目は日本にも向き、日本に2度遠征軍を送る。この2度の元軍の襲来を、モンゴル襲来（元寇）という。

北条時宗の人物像

北条時宗は、鎌倉時代の武士。**モンゴル襲来**の時の**執権**。

幼い頃から将来を期待されていた時宗は、14歳の若さで幕府の政治にかかわるようになった。そんななか、元のフビライから、元に従うことを迫る国書が届けられた。幕府は相談の末、元に従うよりも、戦うことを選び、18歳の執権・時宗を中心に、元軍の襲来に備えた。

1274（文永11）年、時宗が23歳の時、ついに元の大船団が海を越えて日本にやってきた。これを文永の役という。元軍は、対馬などを蹂躙した後、博多湾に上陸。元軍の強さに、迎え撃った御家人たちは大苦戦したが、なんとかしのぐことができた。

文永の役の翌年、フビライから降伏を勧める使者が送られてきた。時宗は、この使者を切り捨て、元と徹底して戦う意思を示した。

1281（弘安4）年に再び元の大船団がやってきた。御家人たちは善戦して元軍の上陸を阻止した。沖合で停泊していた元軍だったが、やがて暴風雨に巻き込まれて壊滅状態になり、引き上げていった。これを弘安の役といい、この時の暴風雨は、後に**神風**と呼ばれるようになった。

モンゴル襲来をしのぎ切った時宗だったが、この対応に身心をすり減らしたのか、弘安の役の3年後に若くして病気で死んでしまった。

🔑 キーワード

▶ **モンゴル襲来**
元寇、蒙古襲来とも言う。13世紀後半に起きた、文永の役、弘安の役という、2度の元軍の襲来のこと。

▶ **執権**
鎌倉幕府の役職の1つで、将軍の補佐役。将軍を除けば、幕府の最高の役職。鎌倉幕府を開いた源頼朝の血を引く将軍が3代で途絶えると、将軍に代わって政治をリードした。代々、北条氏がこの役職に就いた。

▶ **神風**
神の力で吹くとされた風のこと。弘安の役の時に、元軍の大船団を壊滅状態に追い込んだ「神風」は、その時やってきた台風ではなかったかと考えられている。

モンゴル襲来後にやってきたもっと怖い敵？

　モンゴル襲来をなんとかしのいだ後、これに代わって北条時宗を悩ませたのは、元軍と戦った御家人たちだった。

　御家人たちは命がけで戦っただけでなく、戦いにかかる費用もすべて負担していた。そうまでして戦ったのは、幕府から莫大なほうびをもらえることを期待していたからだ。ところが、今回の戦いは、海外からやってきた敵を追い返しただけ。ほうびとして与えることのできる財宝や、新しい領土を手に入れたわけではない。そのため、御家人たちは満足にほうびをもらえず、幕府に対して不満を募らせた。

　そうした御家人の１人に、竹崎季長という人物がいた。まったくほうびをもらえなかった季長は、自分の馬と鞍を売ってまでして旅費を作り、はるばる九州から２週間もかけて鎌倉まで押しかけ、幕府でほうびを決める役目をしていた安達泰盛に直談判。そのかいあって、肥後国（熊本県）の領地と、鞍の付いた馬をもらうことができた。

　季長のような例は珍しい方で、結局十分なほうびをもらうことのできなかった御家人の方が多かった。そして、モンゴル襲来をきっかけに生まれたこのような不満が積もり積もって、やがて鎌倉幕府の滅亡の原因の１つにつながっていくのである。

「蒙古襲来絵詞」

竹崎季長は、無事にほうびをもらえた後、「蒙古襲来絵詞」という絵巻を書かせている。そこには、自分がどれほどモンゴル襲来の時に活躍をしたのかということや、ほうびをもらうためにいかに苦労したのかということが描かれている。この絵巻は、現在ではモンゴル襲来の様子や、当時の御家人たちの様子を知る重要な史料となっている。

▲御家人にとってほうびをもらうのも命がけだった

強い元軍に勝てた理由は？

鎌倉時代

北条時宗

　東アジアの国々を次々と征服していった元。当時、世界最強と言ってもいい国だった。そんな国に、日本はどうして勝てたのだろうか。
　もっとも、最初の文永の役はとても勝ったとは言えない内容だった。この時博多湾に上陸した元軍に対し、御家人たちは、毒矢など強力な武器や、モンゴル兵が得意とする集団戦法に大苦戦。ところが、なぜか元軍はすぐに本国に撤退してしまった。命拾いしたといってもいい。撤退の理由については、「もともと様子見のつもりだったから」「夜に暴風雨で大打撃を受けたから」など、さまざまな説があるが、真相は定かではない。
　続く弘安の役では文永の役での経験を生かして御家人たちが善戦した。彼らは正攻法での戦いを捨て、海岸線を守りながら奇襲するという戦い方に切り替えて2カ月もの間元軍の上陸を阻むことに成功。やがて「神風」が元軍に壊滅的な打撃を与えたのだった。
　また、元軍そのものにも弱点があった。彼らは船での戦いに慣れていなかった。さらに、元軍には征服した国の兵が多く含まれていて、元に対する忠誠心が薄く戦意が低かったようだ。
　つまり弘安の役では、前回の経験を生かしたことと、元軍を台風のシーズンまで上陸させなかったこと、元軍が本来持っている力を発揮できなかったことが勝因だったといえる。

▶船の碇は、今も博多沖に…。海底調査で見つかった元の船の碇石。700年以上前の戦いの名残を今にとどめている

　「一生懸命」という言葉は、じつは鎌倉時代の御家人たちが「先祖代々の領地に生活と命をかける」という意味の「一所懸命」という言葉からきている。御家人たちにとって、領地というものはとても大切なものだったのだ。

18 室町幕府を開いた名門源氏の一族
足利尊氏

活躍した時代：室町時代
生没年：1305～1358年

兜
室町時代の初めの頃までは、鎌倉時代と同じく大鎧が多かった。兜の前についている金具は「鍬形」、両脇の反り返っている部分は「かえし」という。「かえし」は、矢から顔を守るためのもの。

時代の流れ

モンゴル襲来の後、思うようにほうびをもらえなかった御家人たちの生活は苦しくなっていった。その一方で、権力を独占する北条一族は勢力を強め、御家人たちの不満は頂点に達しようとしていた。そんななか、後醍醐天皇が政権を武士の手から朝廷に取り戻そうと倒幕を企てる。

足利尊氏の人物像

　足利尊氏は、鎌倉時代から室町時代の武将、室町幕府の初代将軍。鎌倉幕府を開いた源頼朝と同じ源氏の一族で、頼朝の血筋が途絶えていた当時、源氏の本流にもっとも近い血筋の持ち主とみなされていた。

　1333（元弘3）年、後醍醐天皇が倒幕の兵を挙げると、幕府の有力な御家人だった**足利高氏**は討伐に向かったが、自分も北条氏に不満を持っていたため、途中で天皇方に寝返った。高氏の寝返りをきっかけに、多くの御家人たちが倒幕に参加し、ついに鎌倉幕府は滅びた。

　幕府滅亡後、政権を取り戻した後醍醐天皇は、**建武の新政**という改革政治を行う。しかしこの新政は、武士たちの慣習を無視し、貴族ばかりを優遇するものだったため、武士たちから不満が出るようになった。

　尊氏はこうした武士たちの不満に応え、後醍醐天皇に反旗を翻した。後醍醐天皇を京都から追い出して、新しく光明天皇を立てると、1338（暦応1）年、征夷大将軍となって京都に幕府を開いた。一方、後醍醐天皇は吉野（奈良県）で自分こそが正統な天皇だとして、新たに朝廷を作った。こうして京都（北）と吉野（南）に2つの朝廷が並び立つ**南北朝時代**が始まった。

　幕府を開いて権力を握った尊氏だったが、南朝や、肉親との争いなどに悩まされ続けた。

キーワード

▶足利高氏
尊氏は、もとは「高氏」と名乗っていた。倒幕の功績によって、後醍醐天皇から、天皇の名前「尊治」の1字を与えられ、名前を「尊氏」に改めた。

▶建武の新政
後醍醐天皇が始めた改革政治。天皇中心の政治を目指したが、それまでの武士の政治をまったく無視して急激に改革を進めたり、側近の公家ばかりを優遇したりしたため、武士たちから評判が悪かった。

▶南北朝時代
1336（建武3）年から始まる、朝廷が京都と吉野の2つに並び立った時期を指す。1392（明徳3）年に、足利尊氏の孫で、室町幕府3代将軍の足利義満によって南北朝が合体するまでおよそ60年間続いた。

室町時代

足利尊氏

尊氏はどうして好かれた？

　倒幕の功労者であり、室町幕府を開いた足利尊氏。じつは、意外に負け戦も多く、しかも優柔不断で、大事な時になかなか心を決められないという欠点のある人物だった。

　たとえば、後醍醐天皇に反旗を翻した時のこと。謀反人とみなされた尊氏に、天皇方から討伐軍が差し向けられた。ところが討伐軍が近づいてきているにもかかわらず、「恩義のある天皇と戦なんてできない」と言い出して部下を困らせた。そして、周囲の説得でなんとか戦いを始めるものの、こてんぱんに敗れて九州まで逃げ出してしまうのだ。このほかにも尊氏は、負け戦や優柔不断なエピソードに事欠かない。こんな尊氏に武士たちはなぜ期待をかけて従ったのだろうか。

　その理由の1つは尊氏の家柄にある。源氏の本流に近いとされていた尊氏は、源氏の後継者として武士たちに広く支持されていたのだ。

　また、尊氏の性格も理由の1つだろう。尊氏は、おおらかで心優しく、しかも気前のいいことで有名だった。ほうびをけちることはないどころか、自分に届いた贈り物を惜しげもなく家臣に分け与えるほどだった。「気前のいい源氏の後継者」。これが、多くの武士たちの人気を集めた理由かもしれない。

陰の功労者・足利直義

　足利尊氏には優秀な弟・直義がいた。優柔不断な尊氏を、時には励まし、時には叱りつけて、ついには征夷大将軍にさせた、影の功労者だ。幕府を開いた後は、面倒くさがりの兄に代わって政治をほとんど1人で担当していた。しかし、兄と違って堅物の直義に不満を持つ家臣も多く、それが兄弟の対立につながってしまった。

▲源氏と足利氏、新田氏の系図

もっと知りたい

倒幕の名将列伝

室町時代

足利尊氏

鎌倉幕府の倒幕に活躍した数多くの武将の中から、尊氏のライバルとして名高い楠木正成と、新田義貞の2人のエピソードを紹介しよう。

楠木正成は、河内国（大阪府）の武士。倒幕の戦いで普通の武士には思いもよらない珍戦法で戦い、幕府軍をさんざんに苦しめた。たとえば、おとりのわら人形を並べて、だまされた敵を奇襲したり、敵軍に松明を投げ込んで、その上から油を注いで燃え広がらせたりした。特に珍妙な戦法として、敵の頭上に大量のうんちをばらまくというものもあった。正成は最後まで後醍醐天皇に忠義を尽くし、尊氏との戦いに敗れて自害した。

▲皇居前広場にある楠木正成の像

新田義貞は、尊氏と同じ源氏の名門。鎌倉幕府の根拠地・鎌倉を実際に攻め落としたのは、この義貞だ。この時、義貞は不思議な伝説を残している。

義貞の軍は鎌倉を攻撃しようとしたが、陸路は敵の守りが固く、海岸沿いは切り立つ崖にさえぎられて先に進むことができない。この時義貞は、海岸に出て、腰に下げていた黄金の太刀を海へ投げ入れ神に祈った。するとみるみる潮が引き始め、海の中に鎌倉までの道が開けた。義貞軍は、その道を通り抜け、一気に鎌倉に攻め入ったという。義貞もまた、最後まで後醍醐天皇に尽くし、足利軍との戦いで命を落としたのだった。

豆知識

建武の新政を行った後醍醐天皇は、なかなか個性の強い天皇だった。たとえば、真言立川流というあやしげな宗教に傾倒し、僧たちに倒幕を願って祈祷をさせた。時には、自分自身で祈祷することもあったという。この強烈な個性に惹かれて倒幕運動に参加した人たちもいたことだろう。

19 足利義満

金閣を建てた将軍

活躍した時代：室町時代
生没年：1358～1408年

袈裟

僧の衣装。昔のインドの言葉で赤褐色を意味する「カシーシャ」の音を漢字に当てたもの。本来は色の名前だったが、いつのまにか僧の衣装を表す言葉になった。義満は出家していたので袈裟を着ることもあった。

時代の流れ

足利尊氏に京都を追い出された後醍醐天皇は、奈良の吉野で朝廷を開いた。こうして京都の朝廷（北朝）と吉野の朝廷（南朝）に分かれた南北朝動乱の時代が始まった。しかし、この動乱も足利義満が3代将軍になる頃には、落ち着きを取り戻し始めていた。

足利義満の人物像

足利義満は室町時代の武将で、室町幕府3代将軍。父は、足利尊氏の子で、2代将軍の義詮。

義満は、父の死後わずか10歳で将軍になった。京都の室町に「花の御所」と呼ばれる豪華な屋敷を作り、そこに幕府を移して政治を行った。室町幕府の名前は、この「花の御所」があった地名にちなんでいる。

義満が将軍になった頃は、将軍の権力はまだ安定しておらず、**守護大名**の力が強かったため、義満は有力な守護大名を滅ぼすなどして、将軍の権力を高めていった。また、1392（明徳3）年には、南北朝の合体に成功し、およそ60年続いた南北朝の争乱を終わらせた。

1394（応永1）年には将軍の座を降りて、朝廷の最高職である太政大臣になった。武士の頂点である征夷大将軍と、朝廷の最高職である太政大臣の両方の位を得たのは、日本の歴史上、義満が初めて。その後、義満は出家して仏門に入ったが、政治の実権は握り続けた。義満の権勢は天皇をしのぐほどで、この時代に室町幕府は全盛期を迎えた。

また、明（中国）と国交を開いて貿易（**日明貿易／勘合貿易**）を行ったり、隠居後の住まいとして京都の北山に別荘をつくり、そこに**金閣**を建てたりするなど、経済や文化面でも大きな成果を残した。

キーワード

▶ **守護大名**

守護は幕府から日本各地域の政治を任された役職。室町時代の守護は、鎌倉時代の守護よりも多くの権利を持ち、実質その地域の領主だった。そのため守護大名と呼ばれる。

▶ **日明貿易／勘合貿易**

足利義満が始めた明との貿易。許可を受けた商人であることを証明するのに、勘合（割符）を使って貿易を行ったので、勘合貿易とも呼ばれる。義満以降、中断を繰り返しながら、16世紀の半ばまで続いた。

▶ **金閣**

義満が京都の北山につくった別荘の舎利殿（仏様の遺骨を安置する建物）として建てられた3層の建物。壁や柱に金箔をはりつけたので、金閣と呼ばれている。

室町時代

足利義満

義満に唯一反抗的だったのは？

　征夷大将軍と太政大臣の位を得た足利義満。さらに、自分の妻を時の後小松天皇の准母（母親代わり）にして、自分は天皇の父親のような存在になった。そして、後小松天皇が義満の北山の別荘を訪れて能を鑑賞した時には、天皇と並んで座り、自分が天皇と同格であることを周りの人々に示した。しかも義満は、自分の息子の義嗣を次の天皇にしようと画策したともいわれている。また、日明貿易を始めるにあたっては、明の皇帝から「日本国王」と認められ、自らもそう名乗るようになった。義満はまさしくこの時代の日本の頂点に立っていたのだ。
　このように絶対的な権力を持つ義満に、唯一反抗的だったのが、息子で室町幕府4代将軍の義持だった。
　義持は、義満の死後に父の業績を否定するようなふるまいを次々と行った。日明貿易を中止したり、義満の北山の別荘を、金閣など一部を除いて取り壊して寺（鹿苑寺）にしたりしたのだ。
　義持は、義満に溺愛された弟の義嗣に比べると、ほとんど無視された存在だったといわれる。こうしたふるまいには、そのような父に対する反発があったのかもしれない。

▲義持は義満と違い、朝廷を尊重した

「日本国王」と明との関係は？

　古来、中国と周辺国との間では、中国に貢物を送ってその臣下になる代わりにその地の支配を認めてもらうという冊封体制が行われてきた。日本はこの冊封体制からははずれていたのだが、義満は貿易のために、あえて冊封体制に入ったのである。つまり、「日本国王」は「王」といいながら、明皇帝の臣下なのだ。

海賊集団・倭寇が日明貿易を生んだ！

室町時代

足利義満

13世紀の末頃から、西国の住人などの中に、朝鮮半島や中国大陸沿岸を中心に船や村を襲い、積み荷を略奪するなどの海賊行為をはたらく者たちがいた。彼らを倭寇という。「倭」は日本のことで、「寇」は「外から攻め込んで害をなす」という意味だ。倭寇を構成していたのは、主に九州や瀬戸内海沿岸を根城にする海賊たちや武装した商人たち。また、日本人だけでなく、朝鮮半島や中国の人々も多く含まれていたという。

倭寇の横行に手を焼いた明は、彼らの取り締まりを求める国書を日本に送ってきた。まだ南北朝の争乱が激しかった時のことで、国書は当時九州を制圧していた南朝方の懐良親王（九州に派遣されていた後醍醐天皇の皇子）の元に届けられた。懐良親王はこの求めを受け入れ、明と国交を結び、「日本国王」の称号を与えられた。この時懐良親王は、明の力を借りて九州を独立させようと考えたといわれる。

この動きを警戒し、また懐良親王に代わって正式に明との貿易も行いたかった義満は、幕府軍を派遣して九州を制圧した。その後九州支配を強化して、倭寇の取り締まりを行うようになった。そして、これをきっかけに、明と国交を結び、懐良親王に代わって「日本国王」の称号を得て、貿易を始めたのだった。

▲明との貿易で使われていた「勘合」。日本から持っていく札（左側）と、明で保管している札（右側）が合うかどうかで正式な貿易船を見分けた

足利義満は37歳の時に出家している。出家するとふつうは、髪やひげをそるのだが、義満を描いた絵には、僧の袈裟を着ながらも、ひげをはやしたままのものがある。義満は、僧になっても政治の世界から離れるつもりがなかったようだ。

20 文化に入れ込んだ風流将軍
足利義政

活躍した時代：室町時代
生没年：1436〜1490年

馬蝗絆
中国から輸入された茶器の名品。義政はこの茶器を非常に気に入り、割れて修理ができなくなっても、鉄のかすがいでつないで使ったという。義政は、青い地色を草原、鉄のかすがいを虫に見立ててこの名を付けた。

時代の流れ

　3代将軍・足利義満の死から数十年後。ききんや疫病の流行、農民たちの一揆などで、幕府の財政は傾き、権威に陰りが見え始めていた。また6代将軍・足利義教が家臣に暗殺されるという事件まで起こり、将軍の権威も落ちた。そんななか、足利義政は将軍になった。

足利義政の人物像

室町時代

足利義政

足利義政は室町幕府の8代将軍。3代将軍・足利義満の孫にあたる。
　1449（宝徳1）年に14歳で将軍になった義政は、父で6代将軍の**足利義教**の政治を理想として前向きに政治に取り組んだが、有力な守護大名や、妻・日野富子の実家などが横から口出ししたり、幕府が財政難に陥ったりして、思うような政治ができなかった。義政はだんだんと政治への情熱を失って側近や妻の富子にまかせるようになり、自分は茶の湯や能楽など、風流の世界に逃げ込むようになっていった。
　富子との間に跡継ぎがいなかったため、義政は弟の義視を次期将軍に指名した。ところが、数年後に富子との間に義尚が生まれると、今度は義尚を将軍にしようとしたため、家臣たちを巻き込んだ将軍の跡継ぎ問題が起きた。そして、この問題に、有力守護大名の跡継ぎ争いもからんで、1467（応仁1）年に**応仁の乱**が起きた。応仁の乱は全国の守護大名を巻き込んで11年続き、幕府の権威はますます落ちてしまった。
　義政は乱の最中に息子の義尚に将軍の座を譲り、趣味の世界に没頭。隠居後の別荘として京都の東山に**銀閣**を建てるなどしていた。この結果、東山を中心に文化が盛んになった（東山文化）。義政は、将軍としては問題があったが、文化を発展させたという点で評価は高い。

キーワード

▶足利義教
室町幕府6代将軍。父の義満にならい、守護大名の力を押さえつけ、将軍の権力を強化する政策を行ったが、反発を招いて家臣に殺されてしまった。

▶応仁の乱
京都を中心に起きた内乱。有力守護大名が東軍、西軍に分かれて、京都を中心に戦った。1477（文明9）年まで足かけ11年続いたので、応仁・文明の乱とも呼ばれる。

▶銀閣
もとは足利義政が隠居した時に住むために、京都の東山に建てた別荘の一部としてつくられた観音堂。足利義満が建てた金閣に対して、銀閣と呼ばれるようになった。

悪女か？　大政治家か？　日野富子

　足利義政の妻・日野富子は、一昔前までは日本の「悪女」「悪妻」の代表格だった。

　その理由は、「高利貸しをしたり新しい関所を作って通行料を取ったりして、個人的な金もうけにいそしみ、経済を混乱させて幕府の政治を乱したから」というものだ。また、自分の生んだ義尚を将軍にしたいがために、すでに義政が弟・義視に将軍を譲ると約束しているにもかかわらず、義政につめよって次期将軍を義尚に変えさせてしまった。このことが、幕府の家臣を義視派と義尚派に分かれて対立させることになり、応仁の乱の原因の１つとなってしまったのだ。

　しかし近年では、政治を放り出した義政に代わって、傾いていた幕府の財政を支えた有能な政治家だったと評価する人もいる。また、当時は将軍の妻が、跡継ぎ問題など将軍家の重要事項に口出しをすることは、普通のことだったともいわれている。富子のごり押しが跡継ぎ争いの原因を作ったとはいえ、その主張自体は、富子にしてみれば当然のことだったのだ。このとき義政が態度をはっきりさせていれば、将軍の跡継ぎ争いも起きなかったかもしれない。富子だけのせいにすることはできないだろう。

▲富子は公家の娘だった。最初の頃は義政との仲はよかったという

富子が怖くて引っ越し？

　足利義政は応仁の乱のさなか、将軍のすまいから１人で別の屋敷に引っ越し、富子との別居生活が始まった。しかし、乱が激しくなり、将軍のすまいが焼け落ちると、富子は義政の住む屋敷に引っ越してきた。すると、まるで逃げるかのように、義政は別の屋敷に再び引っ越した。そんなに富子が怖かったのだろうか？

もっと知りたい 戦国時代の扉を開いた「応仁の乱」

室町時代 足利義政

応仁の乱の原因の1つは将軍の跡継ぎ争いだったが、それだけが原因ではなかった。

当時、室町幕府の管領（将軍の補佐役）を務めていた畠山氏や斯波氏という有力守護大名も跡継ぎ争いをしていて、これらの内輪もめに、幕府の実権をめぐって争っていた、細川勝元と山名宗全（持豊）の権力争いが複雑に絡み合った。その結果、多くの武士が細川勝元率いる東軍と、山名宗全率いる西軍に分かれて戦う大乱が勃発したのだ。

この大乱の最中、将軍・義政は全くと言っていいほど何もしなかった。それどころか、息子に将軍の座を押し付けて隠居し、自分は東山に新しく建てた別荘に住んで、風流三昧の生活を送った。

泥沼化した応仁の乱だったが、やがて両軍の大将が相次いで病死すると、勝ち負けがはっきりしないまま、11年後にようやく終わった。

すでに落ち始めていた室町幕府の権威はこの乱によって、完全に落ちてしまった。もはや幕府には地方を押さえる力がなくなってしまったのだ。また、全国に飛び火した戦いは、京都での戦いが終わった後も地方で戦乱を生んだ。

こうした状況の中から、地方では、自分の力で独自に領地を支配する者が現れ始めた。それが戦国大名だ。応仁の乱以後、日本はいよいよ戦国時代に入っていくのである。

▲西陣織
京都の西陣は、山名宗全の西軍が陣を置いたことから付いた地名。応仁の乱の後、織物職人が住みついて西陣織が生まれたとされる

豆知識
足利義政の父・義教はくじびきで将軍に選ばれた。先代の将軍が後継者を決めずに死んだからだ。いいかげんな決め方に思えるが、当時のくじびきは神の意志を聞く神聖なもの。義教は、自分は「神に選ばれた存在」であると考え、強引な政治を行った。

21 雪舟(せっしゅう)

日本の水墨画を完成させた画聖

活躍した時代：室町時代
生没年：1420〜1506?年

烏沙帽(うさぼう)
中国の僧がかぶる帽子。雪舟が絵を学ぶために中国の明に留学した時にもらったもの。雪舟にとってこの帽子は、明に留学したというシンボルだったようだ。

水墨画(すいぼくが)
中国で生まれた、墨だけで描く絵画。日本では、鎌倉時代に中国から伝わり、室町時代にかけて大きく発達した。

時代の流れ

室町時代、2つの大きな文化が花開いた。1つは、3代将軍・足利義満の時代に生まれた「北山文化」。京都の北山を中心に栄えた文化だ。もう1つは、8代将軍・足利義政の時代に生まれた「東山文化」。こちらは、京都の東山を中心に栄えた。そして、この東山文化を代表する画家が雪舟である。

雪舟の人物像

室町時代

雪舟

雪舟は室町時代の画家。備中国（岡山県）に生まれ、10歳の頃に近くにあった宝福寺という禅宗の寺に預けられた。宝福寺にいた頃、和尚さんに怒られて柱に縛られた時に、流した涙を足の指につけて床にとても上手なネズミの絵を描いたという伝説が残っている。

12、3歳の頃、京都の相国寺に移り、修行のかたわら周文という僧に本格的に水墨画を学んだ。しかしこれ以降、20代、30代のことについてはほとんど知られていない。

40歳を過ぎた頃に周防国（山口県）に移り、その地を治める有力な守護大名・大内氏の保護を受けるようになった。大内氏は明（中国）と貿易を行っていたため、大内氏のもとにいれば、水墨画の本場である明に渡ることができると考えたのかもしれない。

応仁の乱が始まった1467（応仁1）年に雪舟は明に渡り、水墨画を学んで2年後に帰国した。

帰国後の雪舟は、おもに周防国を拠点として各地を巡って晩年まで絵を描き続け、「山水長巻」や「秋冬山水図」「天橋立図」など、現在国宝になっている多くの傑作を残した。そして、中国の影響を受けつつも、独特の水墨画の様式を完成させた。

キーワード

▶禅宗
仏教の1宗派。座禅を中心とした修行で悟りを開くことを目指す。中国で生まれ、鎌倉時代に日本に広まった。日本の水墨画は、おもに禅宗の僧が発展させた。雪舟も禅宗の僧である。

▶周文
室町時代の禅宗の僧で、当時、幕府お抱えの絵師だった。雪舟の師匠として有名な画家だが、現在、確実に周文が描いたと断言できる絵は残されていない。

▶大内氏
周防国を中心に西日本に影響力を持っていた有力守護大名。明と独自に貿易を行って、大きな利益を得ていた。大内氏は、のちに戦国大名に発展していく。

雪舟の「本場で認められた」自慢？

　雪舟は、明に行った時に、禅宗の名門寺院・天童寺で修業し、「天童山第一座」という称号を与えられた。これは、「天童寺の修行僧の中のリーダー」という意味。つまり、修行僧の中で最高ランクの名誉を得たと言っていい。雪舟はこの称号を生涯誇りに思っていたようで、絵にサインを入れる時、しばしば「天童第一座」と記している。

　ちなみに、この「天童山第一座」という称号を雪舟が得たことについては、はるばる海を越えて明までやってきた日本の僧へのお土産替わりだったという説もある。しかし、雪舟にとっては本場で認められたという大きな自信につながったのだろう。

　雪舟は若い頃、京都の相国寺という禅宗の有名寺院で20年以上も修行していたが、あまり出世できないまま周防国へ移住している。これは、言ってみれば、都の一流企業でうだつが上がらず、退職して地方にひっこんだようなもの。

　誇らしげに書かれた「天童第一座」のサインからは、「都では認められなかったが、本場中国はわたしの実力を認めたぞ」という雪舟の声が聞こえてくるようだ。

▲天童寺
遣明船が着く港・寧波の近くにある。臨済宗を開いた栄西や曹洞宗を開いた道元もここで修行した
益田市立雪舟の郷記念館

中国に師はいなかった？

　雪舟は晩年に、明で学んだ時の思い出を文章に書き残している。その中で雪舟は、「絵を教えてくれる先生を探したが、師とすべき人はほとんどいなかった」と書いている。本場で認められたことを生涯の誇りにしていた雪舟だが、明での絵の勉強に関しては、期待はずれでがっかりしていたのかもしれない。

もっと知りたい 豪華な「北山文化」と簡素な「東山文化」

室町時代　雪舟

　同じ室町時代に生まれた北山文化と東山文化からは、現在の日本の伝統文化の多くが生まれている。しかし、2つの文化は対照的だ。

　北山文化は、貴族文化と武家文化、さらに禅宗や中国文化がミックスされて生まれたもの。義満が建てた金閣がその代表であるように、派手さと自由さが魅力の文化だ。この北山文化から、日本の伝統文化の1つ「能」が生まれた。観阿弥・世阿弥という親子が、義満の保護のもと、能を完成させたのである。

　一方、足利義政の時代に生まれた東山文化は、豪華さよりも、「わびさび」という言葉で表される、簡素で趣のある様子が大事にされた文化だ。

　茶道や生け花といった、日本を代表する伝統文化が発展しただけでなく、身近な暮らしにも、この時代に生まれたものが根付いている。

たとえば、この時代を代表する「書院造」という建築様式は、床に畳を敷き詰めたり、床の間があったりする、今の和室のルーツである。

◀書院造の室内

豆知識

室町時代には、生活習慣で現在に続く大きな変化が生まれている。じつは、日本人が1日3食になったのはこの時代なのだ。それまでは、朝と夜の1日2食が普通だった。昼食をとるようになったのは、体力を使う武士たちの影響だといわれている。

日本にキリスト教を伝えた男

22 ザビエル

活躍した時代：室町時代
生没年：1506～1552年

トンスラ

カトリックの修道士たちがしていた頭頂部を円く剃る髪型。ザビエルが所属していたイエズス会にはトンスラをする習慣はなかったらしく、ザビエルはトンスラをしていなかったという説もある。

時代の流れ

　15世紀、ヨーロッパでは大航海時代が始まり、航海者たちを乗せた船が世界に広がっていった。航海者たちは、世界各地の富を手に入れるだけでなく、その地にヨーロッパの文化をもたらした。彼らがもたらすものの中には、キリスト教もあった。やがて彼らは、戦国時代の日本にもやってきた。

ザビエルの人物像

　16世紀に活躍したキリスト教の宣教師で、日本にキリスト教を伝えた人物。イベリア半島の北部にあった小さな国・ナバラ王国の王族の生まれ。

　ザビエルが9歳の時、ザビエルの故郷ナバラ王国はスペインに併合されて滅亡してしまった。19歳の時に、フランスのパリ大学に留学して哲学を学んだ。ザビエルはこのパリ大学で、信仰心篤い**イグナチウス・ロヨラ**と知り合う。やがて2人を中心に、世界にキリスト教を広める活動を目的とした**イエズス会**が創設された。

　この後ザビエルは、ポルトガル国王ジョアン3世の依頼で、アジアにキリスト教を広めるためにインドに向かった。そして、1547年にインドのマラッカで、薩摩国（鹿児島県）出身の日本人・ヤジロウに出会う。ヤジロウの話から日本に興味を持ったザビエルは、日本でキリスト教を広めようと決意し、ヤジロウとともに1549（天文18）年8月15日に鹿児島に上陸した。日本では主に平戸（長崎県）や山口、豊後国（大分県）などで布教活動を行い、700人ほどの信者を得た。なかには、豊後国の戦国大名・大友宗麟のような**キリシタン大名**となる者も現れた。

　日本での布教の後、今度は中国でキリスト教を広めようとしたが、中国南部の上川島で熱病にかかり46歳の生涯を終えた。

キーワード

▶イグナチウス・ロヨラ

スペイン出身の修道士。イエズス会の創設者。若い頃に戦争で重傷を負った経験から信仰に目覚めたという。

▶イエズス会

イグナチウス・ロヨラと、彼から影響を受けたザビエルら7人によって設立されたカトリックの修道会。現在も存在する。ザビエルを始めイエズス会所属の多くの宣教師が世界にキリスト教を広めた。

▶キリシタン大名

キリスト教徒になった大名のこと。キリシタンとは、当時の日本でのキリスト教徒をさす言葉。外国との貿易に有利になると考えてキリシタン大名になるものもいた。

日本布教は大苦戦!!

1549（天文18）年に、ヤジロウとともに鹿児島に着いたザビエルは、この土地の領主・島津貴久に会って、キリスト教を布教する許可をもらい、日本での布教活動を始めた。しかし、1年が過ぎてもたった100人ほどの信者しか得ることができなかった。

やがてザビエルは、鹿児島を出て全国で布教活動をしようと計画。天皇や将軍に会って、その許可を得ようと京都に向かった。しかし、天皇と将軍に会うことはできなかった。しかも、京都は応仁の乱で荒廃していて、天皇や将軍には全国への布教を後押しできるだけの権威はすでになかった。「このまま京都に留まっても意味はない」と悟ったザビエルは京都を離れた。

落胆して、来た道を西へ引き返すザビエルだったが、途中で山口の領主・大内義隆や、豊後国（大分県）の領主・大友宗麟の許可をもらい、その地で布教活動を行った。そして1551（天文20）年、2年間の布教活動に区切りを付けて、インドに戻った。

ザビエルが日本での2年の活動で得た信者は700人ほど。たくさんの苦労を重ねて活動したことを考えると、ザビエルとしては残念な結果だったかもしれない。

▲日本でのザビエルの活動ルート
鹿児島についたザビエルは、京都の往復の途中に立ち寄った平戸や山口、豊後で布教の許しをもらって活動した

日本人キリシタン第1号!

ヤジロウは、記録に残っている日本人キリスト教信者第1号だ。名前はアンジロウとも言われる。彼は人殺しの罪を犯して、故郷の鹿児島からインドに逃れたという。そこでザビエルに出会って教えを受け、キリスト教に入信した。ザビエルの日本での活動を助けたが、ザビエルが日本を離れて以降の消息は不明だ。

もっと知りたい 日本に南蛮文化がやってきた！

室町時代 ザビエル

ザビエルが去った後、戦国時代から安土桃山時代にかけて、日本には多くの宣教師がやってきて活発な布教活動が行われるようになった。彼らは主にポルトガル人やスペイン人で、日本人からは「南蛮人」と呼ばれた。宣教師と一緒に多くの南蛮の商人がやってきて、鉄砲や火薬などのヨーロッパの品が持ち込まれ、日本との貿易が行われた。また、天文学や医学、時計や航海術などの進んだヨーロッパの学問や技術、さらに芸術も持ち込まれた。

こうした日本に持ち込まれたキリスト教や、貿易品などをはじめとするヨーロッパの文化を「南蛮文化」という。

ところで、この時期日本に入ってきた南蛮の言葉の中には、今でも日本で身近に使われているものがあることを、知っていたかな？

パン

ポルトガルの宣教師によって初めて日本に伝えられたといわれる。「パン」という名前は、英語ではなく、ポルトガル語が由来となっている。

カステラ

ポルトガルから伝わったお菓子を元に、日本で生まれたもの。「カステラ」という名前は、スペインにあったカスティーリャ王国がなまったもの。

シャボン

ポルトガル語で石鹸を意味する言葉。今では「シャボン玉」という言葉に残るくらいで、あまり聞かない言葉になった。

豆知識

ザビエルは死後インドに葬られたが、その遺体は腐ることがなかったという。60年後、噂を聞いたイエズス会の総長が使者に命じて遺体の左腕を切り取ってローマに持ってこさせると、確かに腐っていなかったという。この左腕は現在、ローマのジェズ教会に安置されている。

23 戦国最強軍団を率いた「甲斐の虎」
武田信玄

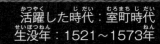
活躍した時代：室町時代
生没年：1521〜1573年

軍配団扇
戦国時代の武将が軍の指揮に用いた道具。鉄や木などで作り、表面に黒漆を塗っている。デザインとして、日や月などがよく描かれた。

諏訪法性兜
「諏訪法性」とは、諏訪大社（長野県諏訪市）の祭神「諏訪明神」のこと。江戸時代に書かれた『甲陽軍鑑』という書物には、武田信玄が使った兜として、その名が書かれている。

時代の流れ

応仁の乱などで室町幕府の権威が弱まると、実力で領地を支配し、地方政権を作る戦国大名が全国各地に現れた。彼らは自分の国を豊かにし、勢力を広げるために他の戦国大名と争った。その中で、最強の呼び声が高いのが、甲斐国（山梨県）を本拠地にした武田信玄だ。

武田信玄の人物像

　武田信玄は室町時代後期の戦国大名で、**戦国時代**を代表する人物の1人。信玄は出家した後の名前で、本名は晴信。下の身分の者が上の身分の者を追い落とす**下剋上**の激しい戦乱の世の中だったが、武田氏は源氏の血を引く名門の家柄で、守護大名から戦国大名になっている。

　疑い深い性格の父・武田信虎が家臣からの信頼を失うと、信玄はこの父を追放して武田家の当主になった。そして、周辺の諏訪氏を滅ぼすなどして信濃国（長野県）を手に入れ、その後、越後国（新潟県）の上杉氏や相模国（神奈川県）の北条氏、駿河国（静岡県）など東海地方を支配する今川氏といった戦国大名たちと勢力を競い合った。とくに、上杉謙信とは信濃国の**川中島**を舞台に、5度に渡って戦った。やがて駿河国から今川氏を追い出して自分の領地にするなどして、8カ国にまたがる領地を持つ大大名にまで成長した。

　この後信玄は、西方に軍を向け、1572（元亀3）年に三方ケ原の戦いで徳川家康と織田信長の連合軍を破ったが、まもなく病死した。

　信玄は、戦に強いだけではなく、領地の洪水の被害を防ぐために大規模な工事を行ったり、金山を開発したりして国を豊かにするなど、政治家としても優秀な人物だった。

キーワード

▶戦国時代
応仁の乱以後、全国各地で戦国大名が争う時代が続いた室町時代末の約100年間のことをこう呼ぶ。

▶下剋上
下の身分の者が、上の身分の者を実力で打ち負かしてその地位を奪うこと。戦国時代のキーワードの1つで、応仁の乱以後、この風潮が盛んになっていった。

▶川中島
現在の長野県長野市にある地名。犀川と千曲川という2つの川に挟まれた土地のため、この名が付いた。輸送や交通の重要な場所に当たるため、信玄の時代以前からたびたび戦場になっている。

戦国最強といわれた武田軍！

「甲斐の虎」の異名をとった武田信玄は、武田家の当主になると、戦国最強といわれた武田軍を率いて急速に領土を広げていった。西を目指した遠征の途中で病死してしまったが、もし生きていたら、戦国時代を終わらせ、天下を統一したのはこの武田信玄だったのではないかともいわれるほどだ。

その強さの秘密の1つは、家臣への気配りにあった。

たとえば信玄は、重要な物事については、自分1人で進めることはしなかった。必ず会議を開いて家臣たちの意見を聞いてから判断したという。また、家臣を適材適所において、その能力を十分に発揮させている。こうした気配りによって生まれた信頼と団結力が、武田軍の強さを生んだのだ。

信玄のものとして伝わる言葉に次のようなものがある。「人は城、人は石垣、人は掘、情けは味方、仇は敵なり」。これは、「信頼できる人は、強固な城や石垣、掘にも匹敵する。そして、情け深ければ人をつなぎとめることができ、敵が増えれば身を滅ぼす」というような意味だという。家臣との絆を大切にした信玄らしい言葉だ。

▲武田軍の軍略をまとめた『甲陽軍鑑』。「人は城〜」の言葉はこの本の中に書かれている

山梨県立博物館蔵

信玄は自分にも厳しい男！

信玄は領地を治めるために、「甲州法度之次第」という、独自の法律を作った。この中には「家を捨てて逃げた者があれば、その家が収めるべき税を村中で負担せよ」など厳しい規則もあった。しかし、領民に厳しいだけでなく、「もし自分が法を破ったらきちんと責任を取る」と書かれていて、自らにも厳しい姿勢を示している。

もっと知りたい ライバル対決！ 川中島の戦い

室町時代

武田信玄

「川中島の戦い」は、武田信玄に領地を追い出された村上義清という豪族が、上杉謙信に助けを求めたことがきっかけだった。川中島の戦いは5回行われたが、中でも最大の激戦が、1561（永禄4）年に行われた、第4次川中島の戦いである。

武田軍の軍略を書き残した『甲陽軍艦』によると、この戦いで信玄は別働隊に背後から謙信を襲わせ、上杉軍が飛びだしたところを挟み撃ちにする作戦を取った。キツツキが木をつつき、出てきた虫を食べるのに似ていることから、「キツツキ戦法」と呼ばれる。

しかし、謙信はこれを見破り、先手を取って夜のうちに武田軍に近づき、「車掛かりの陣」で攻撃した。これは、軍を車輪のように回転させながら次々と攻撃する陣形だ。この時、謙信が一騎で武田軍に突っ込み、信玄と一騎打ちしたという話が伝わるが、残念ながら後の時代のつくり話のようだ。

大激戦となったこの戦いは、最後に武田軍がなんとか上杉軍を押し戻した。この4年後に、5度目の対戦があったが、にらみ合いだけで終わった。そしてこれ以降、信玄が西への進出を始めたため、両雄が戦うことはなかった。

◀車掛かりの陣

▼キツツキ戦法

豆知識

第4次川中島の戦いから12年後、武田信玄は病死する。信玄は、織田信長が今後強大な力を持つことを予期して、跡継ぎの勝頼に「上杉謙信を頼るように」と遺言したと伝えられている。一方謙信は信玄の死を聞くと、城下での華美なふるまいを禁止して、ライバルの死を悼んだという。

鎌倉時代〜室町時代

800年続く武家政権の先駆け

　源平の戦いに勝利した源頼朝は鎌倉幕府を開き、1192（建久3）年に征夷大将軍になりました。これ以降、一時中断はありますが、征夷大将軍を中心にした武家政権が江戸幕府の滅亡まで800年の間続くことになります。
　頼朝に始まった源氏の将軍は3代で終わり、幕府の執権（将軍の補佐役）を代々務めた北条氏が政権を握るようになります。これを執権政治と言います。
　8代執権・北条時宗の時、中国の元が日本に2度攻めてきました（モンゴル襲来＜元寇＞）。この危機を脱すると、北条氏の力はますます強くなりましたが、一方で御家人たちが幕府や北条氏に不満を持つようになっていきました。
　やがて後醍醐天皇が鎌倉幕府を倒そう（倒幕）と呼びかけると、多くの御家人がこれに参加し、鎌倉幕府は滅びてしまいました。

室町時代から戦国時代へ

　鎌倉幕府が滅びると、後醍醐天皇が「建武の新政」と呼ばれる天皇中心の政治を始めましたが、武士には不評でした。武士たちは足利尊氏のもと、後醍醐天皇に反旗を翻しました。尊氏は後醍醐天皇を京都から追い出し、新たな天皇を立てて幕府（室町幕府）を開きました。室町時代の始まりです。一方、後醍醐天皇は、奈良の吉野に別の朝廷をつくりました。この先、3代将軍・足利義満が2つの朝廷を合体させるまで、南北朝の争乱の時代が続きました。
　室町時代には、北山文化と東山文化という、日本を代表する文化が生まれました。また、将軍の権力はあまり強くなく、各地を治める守護大名の力が強かったのがこの時代の特徴です。特に、1467（応仁1）年から始まった応仁の乱以降、将軍の権威は決定的に落ちてしまいます。やがて各地に戦国大名が誕生し、戦国時代が始まりました。そして、1573（天正1）年に戦国大名の1人、織田信長が、15代将軍・足利義昭を追放し、室町幕府は滅びました。

安土桃山時代〜江戸時代

室町幕府を滅ぼした織田信長は本能寺の変で命を落とし、天下は豊臣秀吉によって統一された。秀吉の死後は徳川家康が江戸幕府を開き、260年以上にわたる泰平の世を築いた。しかし、その間、世界の情勢は動き続け、鎖国を続けてきた日本はついに開国。倒幕運動によって江戸幕府は滅んだ。

安土桃山時代

織田信長
1534年〜1582年

豊臣秀吉
1537年〜1598年

江戸時代

徳川家康
1542年〜1616年

徳川家光
1604年〜1651年

近松門左衛門
1653年〜1724年

徳川吉宗
1684年〜1751年

歌川広重
1797年〜1858年

本居宣長
1730年〜1801年

杉田玄白
1733年〜1817年

伊能忠敬
1745年〜1818年

ペリー
1794年〜1858年

坂本龍馬
1835年〜1867年

勝海舟
1823年〜1899年

24 天下統一を目指した風雲児
織田信長

活躍した時代：安土桃山時代
生没年：1534〜1582年

マント
南蛮人（103ページ）が日本にもたらした。信長は、越後国の上杉謙信に南蛮のマントをプレゼントしている。

南蛮鎧
西洋の騎士の鎧を、日本風にアレンジして改造したもの。当時、主力武器になりつつあった鉄砲に対する防御力が高かったという。

時代の流れ

今から450年前の日本は、戦国時代の真っただ中。甲斐国（山梨県）の武田信玄や、越後国（新潟県）の上杉謙信、東海地方の今川義元など、数多くの戦国大名が勢力争いを繰り広げていた。そんななか、尾張国（愛知県）の小さな戦国大名・織田信長が天下統一を目指して動き出した。

織田信長の人物像

織田信長は室町時代末から安土桃山時代にかけて活躍した武将。尾張国（愛知県）の統一を目指す戦国大名・織田信秀の子に生まれた。

子ども時代は非常識なふるまいが多く、大うつけ（愚か者）といわれていたが、織田家の当主になると父が果たせなかった尾張国の統一に成功。さらに1560（永禄3）年、駿河国や遠江国（ともに静岡県）など複数の国を支配する東海地方の大大名・今川義元が尾張国に攻めてくると、これを桶狭間で破り（桶狭間の戦い）、有力大名の仲間入りをした。

この後、となりの美濃国（岐阜県）を手に入れてさらに力を付けると、天下統一に動きだす。1568（永禄11）年に足利義昭を伴って**上洛**。義昭を室町幕府15代将軍にすると、将軍の権威を利用してさらに勢力を強めた。1573（天正1）年には逆に将軍・義昭を京都から追放して室町幕府を滅ぼし、近江国（滋賀県）に壮大な**安土城**をつくって本拠地とした。

信長はこの後、天下統一のさまたげになる勢力を容赦なく力で屈伏させて、多くの地域を勢力下に置いていった。

ところが、天下統一を目前にした1582（天正10）年、中国地方の有力大名・毛利氏を攻める羽柴（豊臣）秀吉の援軍に向かうため京都の**本能寺**に宿泊中、家臣の明智光秀の裏切りにあって死んでしまった（本能寺の変）。

キーワード

▶上洛
地方から京都へ行くこと。政治の中心・京都に行って室町幕府の将軍を保護することで、乱れた天下の秩序を回復するという大義名分を手にすることができた。

▶安土城
信長が近江国に建てた城。5層7重の天守（物見やぐらが発展したもので、城の中心となる建物）を持つ壮大な城だったが、明智軍によって燃やされてしまった。

▶本能寺
京都にある法華宗の寺。信長はたびたびこの寺を宿舎として使っていたという。本能寺の変で焼け落ちてしまい、現在は別の場所に再建されている。

安土桃山時代

織田信長

しきたりや伝統など関係なし！

　織田信長は、多くの戦国大名が割拠する戦国の世において、はじめて天下を意識してその統一を目指した人物だった。信長は、古いしきたりや伝統にとらわれない新しい発想を好むアイデアマンであったといわれる。

　たとえば、当時はあまり役に立たないと考えられていた鉄砲（火縄銃）に若い頃から注目して大量に所有し、有力な武器として利用した。甲斐国（山梨県）の武田軍と戦った長篠の戦いでは、この鉄砲の力が大いに役立ったといわれている。

　また、キリスト教の布教を認めて、積極的に南蛮人（ポルトガル人やスペイン人）からヨーロッパの文化を取り入れたが、これは新しい物好きというだけでなく、南蛮貿易による利益に目を付けたからだ。

　さらに国内の経済を発展させるため、関所をなくして自由な交通ができるようにしたり、安土城の城下町では誰でも自由に商売ができるようにしたりした（楽市・楽座）。

　合理的な考え方をする信長は、身分の低い者や敵であった者でも、能力があれば重要な役職にどんどん抜擢していった。一方で、しきたりや伝統を無視し、反対する者を徹底的に力でおさえつける信長のやり方はうらみを買うこともあったようだ。

▲戦国時代から使われるようになった鉄砲は、日本の合戦を大きく変えた

外国人の見た織田信長！

「中くらいの背丈で痩せている。ひげは少なく声はよくひびく。戦いが大好き。部下の言うことは聞かず、日本の全ての大名を自分の下に見ている。とても頭がよい。占いや迷信は一切信じない。」これは、当時日本に来ていた宣教師ルイス・フロイスが『日本史』という本に書いている信長の印象だ。

もっと知りたい 戦国最大の謎？本能寺の変はなぜ起きた!?

安土桃山時代 織田信長

1582（天正10）年6月2日。織田信長は本能寺にいるところを、家臣の明智光秀に攻められた。助かる道はないと悟った信長は、本能寺に火を放ち、自害して果てたという。これが、本能寺の変だ。

本能寺の変を起こした明智光秀は、信長の信頼が厚い忠実な家臣だった。そんな光秀がなぜ信長を裏切ったのか、はっきりした理由はいまだにわかっていない。研究者だけでなく、小説家や歴史ファンなど多くの人がさまざまな説を唱えていて、なかには、「光秀は実行犯だったが、じつはその裏に黒幕がいた」という説まである。黒幕として名指しされているのは、朝廷や元将軍の足利義昭、徳川家康、家臣の羽柴秀吉（後の豊臣秀吉）などだ。

黒幕説には、それぞれもっともらしい理由が説明されているものの、現在のところ光秀の単独犯行説が有力だ。動機として昔からよく言われるのが「信長への恨み」だ。光秀は、気性の荒い信長の言動に、精神的にかなり追いつめられていたと考えられている。

光秀のうらみ？

1 みんなの前で殴られた！
武田氏を滅ぼした時、「わたしもがんばったかいがありました」と言ったら、「おまえが何をした！」と殴られた。

2 メンツを潰された！
「四国は長宗我部氏に任せる」との約束で信長と長宗我部氏との仲を取り持ったのに、長宗我部氏を攻撃した。

3 リストラされそうだった…
信長は役に立たない部下を次々と切り捨てた。そのうち自分も切り捨てられるとおびえていた？

4 恥ずかしいあだ名を付けられた！
ある宴会の席で、酒が苦手な光秀が途中で出ていこうとすると、大勢の前で「このきんか頭（はげ頭）！」と、頭を叩かれた！

豆知識

信長は甘党だったという。南蛮貿易が盛んだった当時、南蛮人からカステラや金平糖など、ヨーロッパのめずらしいお菓子が日本にもたらされていた。信長は、これらをたいそう好み、家臣にもふるまったといわれている。

25

足軽から大出世した天下人

豊臣秀吉

活躍した時代：安土桃山時代
生没年：1537～1598年

陣羽織
武将が鎧の上に着る羽織。室町時代の頃から着られるようになったという。派手好きの秀吉は、金箔を貼った陣羽織も持っていた。

馬蘭後立付兜
豊臣秀吉が太閤と呼ばれるようになってから愛用したとされる兜。秀吉の派手好きな性格が感じられる豪快なデザインだ。

時代の流れ

　天下統一への道を着々と歩んでいた織田信長は、1582（天正10）年に家臣の明智光秀に裏切られて倒されてしまった。光秀をいち早く討ち、信長の後継者として名乗りを挙げたのが、羽柴秀吉（後の豊臣秀吉）だ。秀吉は、信長の後を受け継ぎ、天下統一への道を歩んでいく。

豊臣秀吉の人物像

安土桃山時代／豊臣秀吉

　豊臣秀吉は、室町時代から安土桃山時代にかけて活躍した武将。信長の後を受け、天下を統一した人物だ。

　秀吉は尾張国（愛知県）の低い身分の家に生まれた。成長すると木下藤吉郎と名乗り、織田信長に**足軽**として仕えて次々と出世。やがて近江国（滋賀県）の長浜城主にまで出世した藤吉郎は、羽柴秀吉と改名した。

　信長が天下統一を果たすことなく本能寺の変で死ぬと、いち早く信長の敵である明智光秀を討ち、次いで織田家臣団の中のライバル柴田勝家を滅ぼして信長の後継者の座を掴んだ。そして大坂城を本拠地として、天下統一を目指した。

　秀吉は朝廷から関白、ついで太政大臣の位と豊臣の姓を与えられた。

　その後、四国、九州を平定し、1590（天正18）年に、残る強敵・小田原の北条氏を降伏させると、その勢いで東北地方も平定。ついに天下統一を成し遂げた。各地の平定と同時に、**太閤検地**や**刀狩**などの政策を行って、全国支配の基盤を作っていった。

　天下統一を果たした秀吉の目は海外に向き、明（中国）を侵略しようと考えて、まず朝鮮半島に軍を送った。しかし、2度に渡る遠征は失敗に終わり、秀吉は失意の中、豊臣家の将来を心配しながら死んでいった。

🔑 キーワード

▶足軽
武士の中で最も身分が低い兵士。戦国時代には、弓や槍、鉄砲を扱う部隊として組織され、戦場で働いた。

▶太閤検地
検地とは、年貢を取るために田畑の面積やそこから取れる収穫高を調べること。秀吉が関白をやめた後に、「太閤」（前関白の意味）と呼ばれたために、秀吉の行った検地をこう呼ぶ。

▶刀狩
農民から、刀をはじめとする武器を取り上げる政策。農民が集団で反乱を起こすことを防ぐことと、武士と農民の身分をはっきりとわけることを目的とした。

※江戸時代までは、「大阪」は「大坂」と書いた。

中国大返しで信長の仇討に成功！

 1582（天正10）年6月2日、本能寺の変が起きた時、秀吉は中国地方を平定するために、中国地方を支配する大名・毛利氏に属する備中国（岡山県）の高松城を攻めていた。

 本能寺の変の情報が秀吉のもとに届くと、秀吉は信長の死を隠してすぐに毛利氏と講和を結んだ。そして6月6日には京都への全軍の引き上げを開始する。この時秀吉に、「天下を取るチャンスが来た」と、明智光秀を討つことを勧めたのは、参謀の黒田官兵衛だったと言われている。

 秀吉は大軍を引き連れて6月7日に姫路城（兵庫県姫路市）まで戻った。ここで態勢を整え直すと、9日に明石（兵庫県明石市）、11日に尼崎（兵庫県尼崎市）に到達するなど、信じられないスピードで京都へと急いだ。そして、高松城を出発してからわずか1週間ほどで、山城国（京都府）の山崎まで戻ることに成功した。秀吉軍の総移動距離はおよそ200キロ。これを「中国大返し」という。

 そして秀吉は、山崎で明智光秀を破って信長の仇討を果たし、信長の後継者として天下統一への第一歩を踏み出したのだった。

▲豊臣秀吉と明智光秀が戦った京都の山崎。中央にある山が決戦の場となった天王山

秀吉の得意戦法「干殺し」!?

 戦上手だった秀吉が得意にしたのは兵糧攻めだ。敵の城を囲んで食糧不足に追い込み、戦意をそいで降伏させるこの戦い方は、味方の血をほとんど流さずにすむ。しかし、攻められる方はたまったものではなかった。食糧不足の城内はおそろしい飢餓地獄に陥るのだ。そのため、この戦い方は「干殺し」と呼ばれた。

もっと知りたい 服従か反抗か!? 奥羽の独眼竜・伊達政宗

安土桃山時代　豊臣秀吉

　1590（天正18）年、豊臣秀吉は相模国（神奈川県）の小田原城を攻略し、北条氏を降伏させた。この時、秀吉はまだ自分に従っていない奥州（東北地方）の有力大名・伊達政宗に、戦いに参加するよう求めた。伊達政宗はこの時20歳そこそこの若さだったが、わずかな期間で奥州を席巻したほどの実力者。政宗は秀吉の求めになかなか返事をしようとしなかった。「秀吉に従うなどまっぴら御免」というプライドもあっただろうが、もともと伊達家は父の代から北条氏と友好関係にあったためでもある。しかし天下の形勢は秀吉に傾いていた。政宗は悩んだ挙句、秀吉に従うという苦渋の決断をした。

　政宗は小田原にやってきたが戦には大遅刻。秀吉は激怒して政宗を幽閉した。ところが、ここからが政宗の本領発揮だ。幽閉中なのに「有名な千利休に茶の指導を受けたい」と、とぼけたことを言い出し、さらに秀吉への面会を許されると、白い死に装束で面会の場に現れる始末。

　こんな政宗を、秀吉は「面白いヤツだ」と思ったのだろう。「もう少し遅かったら、この首がなくなるところだったぞ」と、政宗の首を杖でつついて脅しながらも遅刻を許した。政宗は領地を一部失ったものの、奥州の大大名として生き残ることができたのだった。

▶仙台城址に建つ伊達政宗の像。幼い頃に病気で右目を失った政宗は、のちに独眼竜と呼ばれるようになった

豆知識

秀吉は「黄金太閤」と呼ばれるほどの黄金好きだった。寝室の床には金粉がまかれ、愛用の南蛮風ベットは金の装飾がそこかしこに施されていたという。極めつけが黄金の茶室。茶室全体に金箔をはるだけでなく、茶道具にさえ黄金を施すという豪華さだった。

26 徳川家康

江戸幕府を開いた徳川260年の祖

活躍した時代：江戸時代
生没年：1542〜1616年

南蛮兜
ポルトガルやスペインなどの西洋から輸入された兜を改造したり、まねしたりしてつくられたもの。

時代の流れ
豊臣秀吉が日本を統一して天下人となった後、徳川家康は関東地方の実力者として秀吉に従った。しかし、秀吉の死後、自分が天下を治めたいと考えていた家康は、1600（慶長5）年、関ケ原の戦いで勝利し、その3年後、征夷大将軍に任命されて江戸（東京）に幕府を開いた。

徳川家康の人物像

徳川家康は、三河国（愛知県）の松平家（家康は後に徳川姓を名乗る）という小さな大名の家に生まれた。三河国の周りには、織田家や今川家という実力のある大名がいて、松平家はいつ攻め滅ぼされてもおかしくない状態だった。そこで家康は、織田家や今川家との友好の証として、今川家に人質に差し出され、6歳から19歳まで親元を離れて暮らした。しかし、1560（永禄3）年の桶狭間の戦いで織田信長が今川義元を打ち倒すと、人質だった家康は独立を果たし、ようやく一人前の大名となった。その後、信長と同盟を結ぶが、信長との実力差は大きく、逆らうことはできなかった。

1582（天正10）年、信長が本能寺で自害すると、今度は信長の後継者となった豊臣秀吉と天下をめぐって争う。しかし結局、家康は秀吉に従うことになった。秀吉の死後、ようやくチャンスを得た家康は、ついに天下取りに動き出す。天下分け目の合戦**関ケ原の戦い**に勝利し、1603（慶長8）年に征夷大将軍に任命され、**江戸幕府**を開いた。これにより豊臣家はただの一大名となったが、彼らに心を寄せる大名も多かったため、家康は1614～1615（慶長19～20）年にかけての**大坂の陣**で豊臣家を滅ぼし、幕府の体制を万全のものにした。

キーワード

▶関ケ原の戦い

豊臣秀吉の死後の覇権をめぐり、1600（慶長5）年、石田三成らの西軍と徳川家康らの東軍が戦った。東軍の勝利によって、家康が覇権を握った。

▶江戸幕府

1603（慶長8）年、徳川家康が江戸に開いた幕府。これ以降、260年以上続いた。

▶大坂の陣

徳川方と豊臣方との戦いで、1614（慶長19）年の「大坂冬の陣」と、1615（慶長20）年の「大坂夏の陣」の2度の戦いをいう。

うんちをもらした徳川家康

　徳川家康が織田信長と同盟し、信長が天下統一に乗り出していた頃、甲斐国（山梨県）を中心に大きな力を持っていた戦国大名・武田信玄も、信長同様、天下を狙って動いていた。1572（元亀3）年、その信玄が京を目指して進軍を始め、家康の領地に侵攻してきた時、家康は信玄が強敵であることを承知の上で戦いを挑んだ（三方ケ原の戦い）。

　しかし結局、徳川軍は武田軍にさんざんに打ち負かされ、家康は命からがら自分の城に逃げ帰った。その時、家康はあまりの恐怖でうんちをもらしていたという。家康はこのようなみじめな自分の姿を絵師に描かせている。自分のなさけない敗北の姿を残し、その後の教訓として活かすためだったといわれる。

　家康は幼い頃から苦労を重ね、チャンスを待ってがまんを重ねたすえに征夷大将軍となり、江戸幕府を開くことができた。家康の言葉とされるものに、「人の一生は、重荷を負うて遠き道を行くが如し、急ぐべからず」（人の一生は、重い荷物を背負って遠い道のりを歩いていくようなものなので、急ぐことはない）というものがある。家康の人生を象徴するような言葉だ。

▲武田軍に負けた時に描かせた肖像は、徳川美術館（名古屋市）に所蔵されているので、興味のある人は見に行ってみよう

大名って何？

　江戸時代の大名とは、将軍から1万石以上の領地をもらって、主従関係を結んだ武士のこと。ちなみに、米の単位の1石は1千合で、1人が1回の食事で1合の米を食べると計算した場合、1千合の米は約1年分になる。つまり、1万石の大名は1万人の家臣をやしなえる計算となる。

もっと知りたい 江戸幕府の全国支配の仕組み

江戸時代 徳川家康

　江戸幕府は、全国を幕府の直轄領（幕府が直接支配する土地）と、大名領に分けて支配した。また、将軍に直接仕える武士として旗本と御家人を置き、幕府を支える軍事力とした。旗本は将軍に直接会うことを許された武士で、計算上は旗本が率いる兵だけで、約7万人の軍勢となった。また、幕府は全国の大名を取り締まるために、1615（元和1）年、「武家諸法度（元和令）」を定めた。この法律に違反した大名は取りつぶしにあうなどの厳しい処分がなされた。さらに朝廷に対しても「禁中並公家諸法度」を制定し、天皇や公家の生活や行動へのしめつけを行った。

　これらによって幕府の支配は強化された。このような江戸時代の政治体制を「幕藩体制」という。

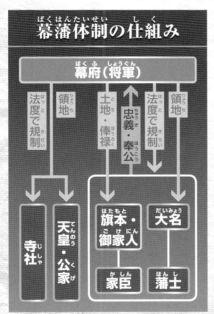

▲武家諸法度（元和令）。「文武弓馬の道に励むこと」など、武士の法律が書かれている

　初夢で見ると縁起がいいものとして、昔から「一富士、二鷹、三茄子」といわれている。これは家康が引退した後に住んだ駿河国（静岡県）の名物で、家康が好んだものだったという説がある。

27 幕府の力を強めた「生まれながらの将軍」
徳川家光(とくがわいえみつ)

活躍した時代：江戸時代
生没年：1604～1651年

烏帽子(えぼし)
武士や公家が用いたかぶり物で、烏色（黒色）の帽子の意味。古くは絹などに漆を薄く塗る形だったが、紙に漆を塗り固める形となった。

時代の流れ

江戸幕府が開かれた20年後、徳川家康の孫・家光が幕府の3代将軍に就任した。初代将軍の家康と2代秀忠は、幕府が開かれる前の戦乱の時代を知る将軍であったが、家光はそうではない。家光は「生まれながらの将軍」として、この先も徳川の世が続くということを全国に示す必要があった。

徳川家光の人物像

徳川家光は江戸幕府２代将軍・秀忠の子で、20歳の時、幕府の将軍職を父の秀忠から受け継いで３代将軍となった。しかし、秀忠が生きている間は、何事も前将軍の秀忠に相談するなど、政治の実権は父が握っていた。

秀忠の死後、実権を握った家光は、幕府の力を強めるために数々の政策を行っていった。この時代はまだ伊達政宗など、戦国時代以来の有力な大名が各地に残っていたため、幕府が弱味を見せれば大名たちの離反を招き、再び戦乱の世に戻らないとも限らなかったためだ。

家光は、武家の法律である武家諸法度を改訂して、新たに**参勤交代**（125ページ）という制度を定め、各地の大名が幕府に対抗できる力を持たないよう、大名たちを管理した。また、財政を安定的に確保するため、百姓たちへの管理も強めた（**五人組**）。その一方で、不作の年には年貢を軽くするなどの政策も行った。さらに、キリスト教の取り締まりを徹底し、信者たちの反乱などを防ぐとともに、キリスト教がこれ以上広がらないよう、ヨーロッパ諸国との貿易を禁止した。いわゆる**鎖国**の始まりであるが、海外との貿易を幕府が独占する狙いもあった。

これらの政策によって、家光は幕府の力を強め、徳川の世が安定して続いていく礎を築いたのである。

🔑 キーワード

▶参勤交代
全国の大名を統制するため、家光が1635（寛永12）年、武家の法律である「武家諸法度」を改訂して制度化した。

▶五人組
江戸幕府は、百姓たち5戸程度を1組のグループにし、年貢を納められないときなどに連帯責任を追わせるようにした。

▶鎖国
外国との貿易などを禁じた政策。ただし、キリスト教国ではなかった中国と、キリスト教を広めないと約束したオランダとは長崎の出島で貿易を行った。

江戸時代　徳川家光

超セレブ！ 家光の金遣い

　徳川家光は幕府の実権を自分が握った時、諸大名に対してのあいさつで、「東照宮（家康）は国を平定するのに諸君の力を借りた。また秀忠公はもともと諸君の同僚だった。しかし、自分は生まれながらの将軍なので、前の2代とは格式が違う。自分は諸君を家臣として扱う」と言い放ったという。そして、家光は、将軍の力を人々に見せつけるかのように贅沢にお金も使った。家康を神としてまつる日光東照宮（栃木県）や、江戸城の改築に莫大なお金をつぎ込んだ。また、幕府の権威を示すため、「御代替の御上洛」と呼ばれる京都詣でも行ったが、それは30万人もの軍勢を引き連れた大がかりなものだった。この時、京都や江戸でそれぞれ町人たちに現在の価格にして10億円もの銀を配ったという。また、道中でたった数泊するだけのために、あちこちに城を築かせるなど、まさに湯水のようにお金を使った。

　このようにたいへんな浪費家だった家光だが、それでも幕府の財政はビクともしなかった。これは鉱山からの収入や、幕府直轄の支配地からの収入が増えたおかげだった。案外、家光は幕府の経営者としては優秀だったのかもしれない。

▲日光山輪王寺にある家光の廟（墓所）。家康が眠る近くの東照宮より豪華になってはならないとの遺言により、控えめにつくられている

家光を愛した乳母

　家光には忠長という弟がいた。両親（秀忠夫妻）は忠長をとてもかわいがり、家臣たちも将来の将軍は忠長だとうわさするほどだった。両親に愛されなかった家光だが、乳母のお福（春日局）は母のように家光を愛した。お福は、家光を将軍にするよう、家康に直訴したといわれる。

大名たちの管理術！参勤交代

江戸時代

徳川家光

　家光が定めた参勤交代は、全国の大名たちに、本国（大名の支配地）と江戸とを1年交代で往復することを義務づけた制度だ。

　これにより大名たちは、数多くの家臣たちを引き連れて本国と江戸を行き来する費用や、本国と江戸の藩邸との二重生活の費用など、大きな出費をしなければならず、お金を蓄えることが難しくなった。また、大名の妻子は江戸に住むことも決まりとされた。これは幕府に妻子を人質に取られたようなもので、大名たちは幕府に反抗できなくなった。参勤交代は、大名たちにとってはたいへん負担の多い制度だったが、幕府の力を安定させることや、江戸や各街道の宿場町などの繁栄にもつながった。家光によって始められた参勤交代は、江戸幕府が終わるまで続いていった。

▲会津藩（福島県）松平家の参勤交代を描いた図。1回の参勤交代でかかる費用は、江戸までの距離や行列の規模で異なるが、2000～3500人の大行列となった加賀藩（石川県）の場合、現在のお金に換算すると、3～4億円かかったという　　　　　　　　　会津若松市立会津図書館

　家光の時代は、兄弟のうち、年長の者が将軍を継ぐという明確な決まりはまだなかった。家光を将軍にすると決めたのは家康だが、年長の者が将軍を継ぐことを決まりとしておけば、将来、将軍争いが起こりにくくなり、徳川の世が長く続くという考えからだったという。

28 近松門左衛門

上方で活躍した人形浄瑠璃・歌舞伎作者

活躍した時代：江戸時代
生没年：1653～1724年

黒漆塗文机
晩年の近松は、愛用の黒漆塗の文机に向かって作品の構想を練り、筆を取ったと伝えられている。

時代の流れ

江戸時代の前期から中期にかけて、上方（京都と大坂の呼び名）を中心に、裕福な商人や町人たちを文化の担い手として、「元禄文化」と呼ばれる華やかな文化が花開いた。人形浄瑠璃や歌舞伎といった、この時代の文化を発展させた1人が近松門左衛門だった。

近松門左衛門の人物像

近松門左衛門は、上方で人形浄瑠璃や歌舞伎（129ページ）のヒット作品を次々と生み出した、元禄文化を代表する脚本家だ。

もともとは越前国（福井県）の武士の家に生まれたが、少年時代、父が浪人となり、京都へ移り住んだ。その後、近松は人形浄瑠璃の世界に飛び込み、1683（天和3）年に『世継曽我』という作品でデビューした。

そして30歳の頃、本格的に脚本家の仕事をするようになる。身分制度の厳しい江戸時代に、支配階級であった武士の身分を捨てることは大きな覚悟を必要としたが、この選択は成功だった。近松は若手の人形浄瑠璃の語り手・竹本義太夫とコンビを組み、『出世景清』をはじめとする数々の作品で、人気脚本家としての地位を築いていった。41歳の時には、歌舞伎役者の坂田藤十郎に才能を買われて、歌舞伎作者となり、今度は坂田とのコンビで『けいせい仏の原』など多くの作品を生み出した。

1703（元禄16）年には、歌舞伎の世界では一般的だった世話物（時事ネタの芝居）を初めて人形浄瑠璃に取り入れた『曽根崎心中』で大ヒットをとばして、人形浄瑠璃作者に復帰。『冥途の飛脚』、『国性爺合戦』など多くの名作を生み出していった。人形浄瑠璃90編以上、歌舞伎30編以上を書いた近松は、日本のシェークスピアともいわれている。

🔑 キーワード

▶上方
江戸時代、京都と大阪をこう呼んだ。地方から京の都へ行くことを「上る」、京都から地方へ行くことを「下る」といったことが由来。

▶元禄文化
元禄（1688～1704年）の頃、上方を中心に生まれた文化。華やかな歌舞伎・人形浄瑠璃といった芝居が、町人に広く受け入れられた。

▶世話物
歌舞伎や人形浄瑠璃の作品のうち、歴史上の出来事を題材にしたものを「時代物」、当時の事件などを題材にしたものを「世話物」という。

江戸時代

近松門左衛門

ヒットの秘訣は「自由な発想」！

　近松が活躍し始めた頃は、人形浄瑠璃や歌舞伎の脚本家は地位が低く、脚本に作者名を記さないのが慣習だった。しかし、近松はこれを破り、自分の作品に署名して発表した。この行為を「おこがましい」と批判する人もあったようだが、ヒット作品を連発するうちに、「近松の作品なら見てみたい」という人たちが増え、批判は消えていった。近松は作者の地位を向上させたのだ。

　近松の作品が人気を集めたのは、彼の発想が人々にうけたからだ。例えば、「赤穂浪士の討ち入り事件」（下のコラムも見よう）は、世間で大きな話題となり、歌舞伎にもすぐ取り上げられたのだが、幕府はこれを禁止してしまった。これ以降、赤穂浪士を舞台にした芝居は上演されなくなった。しかし数年後、近松は工夫をこらしてこの事件を世の人々に知らしめた。『兼好法師物見車』とその続編『碁盤太平記』で、主君の仇討ちという、赤穂浪士のストーリーはそのままに、時代や登場人物の名前を変えることで、幕府の取り締まりの網をくぐりぬけてみせたのだ。この作品をきっかけに、『仮名手本忠臣蔵』など、現在でも頻繁に上演される芝居や、映画・ドラマが生み出されていった。

▲赤穂市での「赤穂義士祭」で、討ち入りの模様を再現

> **赤穂浪士の討ち入り**
>
> 　1701（元禄14）年、播磨国（兵庫県）赤穂藩の藩主・浅野長矩が、幕府の家臣・吉良義央を江戸城内で切りつけた罪で切腹、浅野家は取り潰しとされた。大石良雄（内蔵助）ら47人の旧赤穂藩士は、翌年の12月14日に吉良邸に討ち入り、主君の敵を取った後、切腹させられた。

もっと知りたい

当時の舞台は芸能ニュース

江戸時代 近松門左衛門

江戸時代の歌舞伎は、当時起きた事件など人々の注目を集める話題をいち早く取り上げて上演していた。人々はうわさの事件の内容を詳しく知りたいと、芝居小屋に詰めかけた。近松は人形浄瑠璃にもそれを取り入れた。いわば芸能ニュースでもあったのだ。

人形浄瑠璃

演じるのは「人形」

江戸時代に成立した人形劇で、現在では「文楽」と呼ばれる。語り手と三味線弾きによる「義太夫節」という独特の音楽（浄瑠璃）に合わせ、人形遣いが巧みに人形を操って物語を表現する。近松の頃には主に上方で盛んに行われていた。

歌舞伎

演じるのは「人間」（歌舞伎役者）

江戸時代初期に出雲阿国が始めたとされ、元禄の頃に発展した演劇。豪華な衣装と化粧で飾った役者たちが、音楽に合わせ、踊りとセリフで物語を表現する。近松の頃には、東の江戸歌舞伎と西の上方歌舞伎、それぞれが人気を集めていた。

豆知識

人形浄瑠璃を「文楽」と呼ぶようになったのは、19世紀初めのこと。当時、人気がなくなっていた人形浄瑠璃を、植村文楽軒という興行師が再び盛んにし、その名前にちなんで「文楽」という名称が定着した。なお、正式には「人形浄瑠璃文楽」という。

29

江戸幕府の危機を救った中興の祖

徳川吉宗

活躍した時代：江戸時代
生没年：1684〜1751年

裃

江戸時代の武士の正装で、庶民の礼服としても用いられた。布地は麻が正式で、その他は略式とされた。

時代の流れ

　江戸幕府が開かれてから100年余り。世の中は大きな争乱などもなく、人々は平和に暮らしていた。しかし、その陰で幕府は危機に瀕していた。世の中の経済状況の変化などで財政が悪化し、赤字に苦しんでいたのだ。8代将軍・徳川吉宗は、幕府の財政立て直しのための改革に乗り出す。

徳川吉宗の人物像

徳川吉宗は**御三家**の1つ、紀州藩（和歌山県）2代藩主・徳川光貞の四男として生まれた。兄たちがいたことと母の身分が高くないことで、吉宗に将来の出世は見込めなかった。しかし、その兄たちが若くして次々と亡くなってしまったため、22歳で紀州藩主となった。吉宗は徹底した倹約などを行って赤字に苦しんでいた藩の財政を改革、再建させ、紀州の名君として名を上げた。

1716（正徳6）年、江戸の将軍家では、7代将軍の徳川家継が息子を残さずに亡くなり、将軍の跡継ぎが途絶えてしまった。そこで御三家の中から次の将軍を選ぶことになり、吉宗が幕府の8代将軍の座を射止めた。紀州藩で財政改革を成功させた手腕などが評価されたのだ。

将軍となった吉宗は、さっそく幕府の財政改革に乗り出した。紀州藩主時代と同様、徹底した倹約で支出を抑え、新たな収入を増やすための新田開発や、商品作物の栽培などを奨励し、これらの政策で見事に幕府の財政を立て直すことに成功した。有能な人材の登用、目安箱の設置なども行ったこの吉宗の一連の改革を**享保の改革**という。

幕府の財政危機を克服し、幕府存亡のピンチを救ったことから、吉宗は「江戸幕府中興の祖」といわれる。

🔑 キーワード

▶御三家

徳川家康の九男、十男、十一男を初代藩主とする徳川家の一族で、尾張藩（愛知県）・紀州藩（和歌山県）・水戸藩（茨城県）の3藩をいう。将軍家と同じ徳川姓を名乗ることが許され、諸大名の上に位置づけられた。将軍家の跡継ぎが途絶えた場合、この3藩の中から跡継ぎを出すという役割も与えられた。

▶享保の改革

幕府の財政立て直しのため吉宗が行った改革。吉宗は米価対策に力を注いで「米将軍」とも呼ばれた（132ページ）。

江戸時代

徳川吉宗

米にこだわった「米将軍」

　江戸時代の財政の基本は「米」だ。幕府は年貢として納められる米を武士たちの給料として払い、武士たちは米を売って生活費としていた。しかし、江戸時代中期には、米の値段に対してその他の物価が大きく上昇したため、相対的に米の価値が下がってしまった。そのため、幕府や武士たちの暮らしは圧迫されていき、赤字に苦しむようになった。

　吉宗はそのような米の価格を安定させようと、さまざまな米価対策に必死に取り組んだことから、「米将軍」と呼ばれた。しかし、どう頑張っても米の価格をコントロールすることは難しかった。流通や金融などの発達によって、世の中の経済は、もはや幕府や諸藩の力だけでは動かすことができないものになっていたのだ。

　ちなみに、江戸時代には三大改革と呼ばれるものがある。1つ目は吉宗の時代の「享保の改革」、2つ目は11代将軍・徳川家斉の時代に、老中・松平定信を中心に行われた「寛政の改革」、3つ目は12代将軍・徳川家慶の時代に、老中・水野忠邦を中心に行われた「天保の改革」だ。寛政、天保のいずれの改革も、吉宗の改革を手本として、倹約、物価の安定、農村の復興などにつとめた。

▲紀州藩の城・和歌山城。西日本第一の要とされた城だ

情報こそ我が命！

　吉宗は情報をとても大切にした。紀州藩主時代から自分の部下を使ってあらゆる情報を探らせ、幕府の7代将軍・家継の危篤の情報も早くに知り、幕府の役人などに手回しをして、次期将軍への準備を整えていたともいわれる。将軍になってからも、部下たちを全国に放った。

時代劇で人気の名奉行

江戸時代 徳川吉宗

吉宗は身分にとらわれず、能力のある者に重要な仕事を与えた。その1人が大岡忠相だ。大岡は、悪を許さず、弱い庶民を助ける時代劇のヒーロー「大岡越前」のモデルとして有名だが、実際の大岡はヒーローというより、優秀な官僚タイプの人物だったようだ。

大岡は吉宗から江戸の「町奉行」に任命され、吉宗の改革を手助けした。彼の注目すべき仕事の1つが「町火消」の設置。「火事とけんかは江戸の花」ともいわれるように、江戸は火事が多く、燃えた町の再建は財政的にも大きな負担となっていたため、火災対策はとても重要だった。しかし、この時代以前は、幕府や大名が組織する火消しかなく、大都市・江戸全体の消防組織としては不十分だった。

大岡は1718（享保3）年、町人による消防組織を設置し、2年後には隅田川より西の町を47組（後に48組）、東の町を16組に再編成し、江戸の「町火消」を完成させた。

町火消の配置

◀隅田川より西の町火消の組合は、「いろは」47文字からとられた。ただし「へ」「ら」「ひ」は使われず、「百」「千」「万」とされ、後に「本組」が加わり48組となった。それに東の町火消16組を加えて、江戸の町火消は全部で64組あった。

豆知識

質素、倹約を軸とした吉宗の改革は、庶民にがまんを強いるものだった。吉宗はそんな庶民のため、江戸の各地に桜や桃、松などを植えて公園をつくったり、ベトナムからゾウを輸入して長崎から江戸まで旅をさせたりするなど、庶民を楽しませることにも知恵を絞った。

30 歌川広重

風景画で一時代を築いた浮世絵師

活躍した時代：江戸時代
生没年：1797～1858年

旅姿
江戸時代の旅は基本的に徒歩。すねには防寒のための脚絆を巻き、わらじ履き、荷物は竹や籐で編んだかご（行李）に入る程度だった。

時代の流れ
江戸時代の初期、文化の中心は京都だった。江戸時代前期から中期には、上方を中心に元禄文化が花開いた。その間、江戸はどんどん成長を続け、人口100万人を超える巨大都市となった。江戸時代後期には文化の中心も上方から江戸に移り、「化政文化」と呼ばれる新しい文化が生まれた。

江戸時代

歌川広重

歌川広重の人物像

　歌川広重は、**化政文化**を代表する浮世絵師で、安藤広重ともいう。広重は、江戸の安藤家という武士の家に生まれたが、13歳の時に両親を失って家を継ぎ、15歳で当時活躍していた浮世絵師・歌川豊広の弟子となり、翌年より歌川広重と名乗った。当時の**浮世絵**は**美人画**や**役者絵**などが中心で、広重もそれを熱心に描いていたが、歌川派は弟子の数が多く、当初はその他大勢の1人だった。

　広重の評価を一気に高めたのが、風景画という新しいジャンルだった。広重は35歳の時、江戸の名所を描いた「東都名所」(全10枚)を発表。風景画家として一躍有名となり、その3年後に出版した「東海道五十三次」(保永堂版・日本橋と京都を加えた全55枚)は空前の大ヒットとなった。

　当時、浮世絵は1000枚売れれば大当たりといわれたが、「東海道五十三次」は保永堂版だけで2万枚も刷られたという (他の版元〈出版社〉からも出されている)。これは広重と同時期に活躍した浮世絵師・葛飾北斎の「富嶽三十六景」を上回る。

　その後も風景画の第一人者として活躍を続けた広重は、62歳の時、「名所江戸百景」の制作中に、江戸で流行していたコロリ(感染症のコレラ)にかかり、それが原因で没したという。

🔑 キーワード

▶化政文化
　江戸時代後期の文化・文政(1804～30年)の頃、江戸を中心に栄えた町人文化。文化・文政という年号の一文字ずつを取り、化政文化という。

▶浮世絵
　浮世とは、簡単にいえば「この世」のことで、江戸時代の当時の風俗を描いた絵を浮世絵という。版画と肉筆画(本人が手で描いたもの)がある。

▶美人画・役者絵
　浮世絵の中でも人気を集めたジャンル。美人画は美しい女性を描いたもの。役者絵は歌舞伎役者の舞台姿や似顔絵を描いたもの。

135

ゴッホもマネた「ヒロシゲ」

　歌川広重の作品は、藍色をうまく使った表現が印象的だ。霞のかかった空や海などのグラデーションの美しさは際立っている。この藍色の表現は、「ジャパンブルー」「ヒロシゲブルー」などと呼ばれ、ヨーロッパでは非常に高い評価を受けている。ただ、浮世絵では藍色を使った表現は一般的で、広重だけのものではない。広重の作品の印象がとくに強かったということだろう。

　19世紀の後半から20世紀の初め、ヨーロッパに浮世絵が紹介されると、一大ブームとなり、日本美術の影響を受けた「ジャポニスム」がヨーロッパを席巻した。とくに印象派と呼ばれる画家たちにとって、浮世絵独特の色使い、大胆な構図や世界観は衝撃だったようだ。「ひまわり」などで有名な印象派画家のゴッホは、広重の「名所江戸百景」の1枚、「大はしあたけの夕立」を模写するなど、浮世絵の大ファンだった。他にもモネ、ドガ、ゴーギャン、セザンヌなど錚々たる画家たちが浮世絵の影響を受けているのだ。

▲「大はしあたけの夕立」。細い線を大胆に使い、雨の鋭さ、激しさがリアルに迫ってくる
国立国会図書館

広重は東海道を歩かず？

　広重は「東海道五十三次」を描くにあたって、実際に東海道を歩いてスケッチをした。しかし、このシリーズの中には、実際の風景とは異なる点がいくつか指摘されている。こうしたことから、広重が実際に歩いたのは、江戸から箱根あたりまでだろうという説もある。

錦絵はこうしてつくる

江戸時代　歌川広重

　フルカラーの浮世絵版画を「錦絵」という。浮世絵は版画でたくさん刷ることで値段を安くすることができ、庶民も手軽に買えるようになった。大きさにもよるが、錦絵1枚の値段は蕎麦1杯と同じ程度だったという。ここでは、錦絵のつくり方を見てみよう。

1 版下絵を描く
まず絵師が薄紙にもとになる絵（版下絵）を描く

2 検閲を受ける
版元が問屋仲間に版下絵を提出して検閲を受ける

3 主版を彫る
彫師が版下絵を版木に貼り、主版を彫っていく

4 色指定をする
主版を墨一色で何枚か摺り、絵師は一色につき一枚の色指定をする

5 色版を彫る
絵師の色指定をもとに、彫師は色ごとに色版を彫る

6 見本を摺る
主版と色版ができあがると、摺師が版元や絵師の立ち会いのもと見本を摺る

7 本摺り
見本をチェックして修正などをし、いよいよ本番を摺る

▶錦絵は版元の指示のもと、絵師、彫師、摺師のチームワークでつくる。

彫師　摺師　絵師
チーム広重

豆知識
　当時、歌川広重と人気を2分した浮世絵師に葛飾北斎がいる。ヨーロッパに与えた影響という面でも広重と双璧をなす。北斎は90歳まで絵を描き続けて生涯を閉じたが、死の間際、「あと5年あれば、本当の絵描きになれるのに……」とくやしがったという。

31 『古事記伝』を著した国学の大成者
本居宣長

活躍した時代：江戸時代
生没年：1730～1801年

ヤマザクラ
日本の野生の桜の代表的な種。古くから和歌に詠まれるなど、日本人に親しまれてきた桜で、宣長もヤマザクラを愛した。

時代の流れ

江戸時代、出版技術の進歩などによって、一般の庶民や地方の農民にまで広く学問がもたらされていった。江戸時代の学問は儒学を中心としていたが、日本古来の精神を明らかにしようとする「国学」も誕生し、それを大きく発展させたのが本居宣長だった。

本居宣長の人物像

　本居宣長は、伊勢国（三重県）松坂の商人の家に生まれた。宣長は幼い頃から読書が大好きだったが、16歳の時、商人になることを期待されて江戸へ丁稚奉公に出された。しかし、奉公先では本も読めないと、1年で松坂に戻ってきた。その後、宣長は商売を始めるが失敗し、学問のために京都に出た。そこで医学、儒学、漢学、国学などを学び、28歳の時、松坂に戻って医者になった。医者になれば、空いている時間に好きな本が読めるというのが理由だった。

　宣長は医者として働きながら国学の研究に打ち込んだ。彼がライフワークとしたのが『古事記』の研究だ。『古事記』は奈良時代に書かれた歴史書だが、古い仮名（万葉仮名）で書かれていたため、当時、誰も読める人がいなくなっていたのだ。宣長は、日本人の古来からの精神を解き明かすためには、『古事記』を読み解く必要があると考え、まずは『万葉集』と万葉仮名の研究から始めていった。そして、1語1語『古事記』の解読を進め、1798（寛政10）年、研究を始めて以来、じつに30年以上の歳月をかけて、全44巻にわたる『古事記』の注釈書『古事記伝』を完成させた。この『古事記伝』は国学を大きく発展させたことから、宣長は国学の大成者と呼ばれる。

🔑 キーワード

▶『古事記』

712（和銅5）年に完成した日本最古の歴史書。稗田阿礼が習い覚えた天皇の系譜や古い伝承を、太安万侶が書き記したものとされる。

▶万葉仮名

古代の日本には固有の文字がなかったため、日本語を書く場合には漢字の音や訓を借りて書いた。これを万葉仮名という（140ページ）。奈良時代に成立した歌集『万葉集』の和歌が、主にこの形で書かれていることから、この呼び名がついた。万葉仮名は『古事記』にも用いられている。

江戸時代　本居宣長

いつもおしゃれな鈴マニア

本居宣長は国学の研究のかたわら、町人たちに『源氏物語』などの古典の講義もさかんに行い、弟子の数は500人にも及んだ。いつも多くの人に囲まれていたからか、宣長は他人からどのように見られているかを常に意識していたという。つまり、おしゃれに気を配っていたのだ。

宣長は、椿油でつやつやにした髪をくしでしっかりと整え、「鈴屋衣」と呼ばれる両手がすっぽりと覆われるような形の着物を着ていた。この「鈴屋衣」は宣長が考えたオリジナルの着物で、京都の公家たちの前で講義を行った時も、これを着ていたという記録がある。じつは、この「鈴屋衣」というネーミングは、宣長が「鈴マニア」だったことによる。

宣長は鈴が大好きで、いろいろな形の鈴を探しては集めていた。そして自宅の書斎に「鈴屋」という屋号をつけた。「鈴屋」で宣長は、「柱掛鈴」と呼ばれる36個の小鈴をひもでつなげたものをつるし、勉強で疲れた時などに、それを気分転換に鳴らしていたという。また、宣長の鈴マニアぶりを知った弟子たちも、鈴をお土産に持ってきたそうだ。

万葉仮名はこう読む！

万葉仮名は、日本語を表記するのに漢字を借りて当てはめたもの。しかし、漢字のパターンはいくつもあるので解読が難しい。

万葉仮名の歌

余能奈可波　牟奈之伎母乃等
志流等伎子　伊与余麻須万須
可奈之可利家理

解読すると…

よのなかは　むなしきものと
しるときし　いよよますます
かなしかりけり

「世の中は空しいものとわかる時には、いよいよますます悲しいことだ」という意味の和歌だが、万葉仮名だと難解だ。

五十音に対応する漢字の例

婀 鞅 吾 足 安 阿	← あ
謂 委 威 為 位 韋	← い
禹 紆 烏 羽 宇 有	← う
埃 榎 哀 愛 依 衣	← え
応 應 隠 憶 於 意	← お

※万葉仮名には、この他にもさまざまな漢字が用いられる。

もっと知りたい 国学の起こりと江戸の学問

江戸時代 本居宣長

江戸時代の学問の基礎は、人々の役割や身分の上下を重んじる「儒学」だった。なかでも儒学の一派「朱子学」が、江戸時代の最も中心的な学問だった。また、ヨーロッパの知識や学問も「蘭学」として発展した。しかし、儒学や蘭学は外国からやってきたもの。こうした学問ではなく、独自に日本人本来の心を解き明かそうというのが「国学」の起こりだ。その他、江戸で発達した学問を紹介しよう。

学問	儒学			本草学	天文・暦学	洋学（蘭学）	国学
	朱子学	陽明学	古学				
内容	儒学の一派で、南宋の朱熹がまとめた。5代将軍・徳川綱吉によって、林鳳岡が大学頭に任じられて以降、林家が中心となり発達	儒学の一派で、明の王陽明が始めた	宋や明の時代に生まれた新しい儒学ではなく、孔子や孟子などの古典を重視	植物や動物、鉱物などについて研究する学問。博物学ともいう	天体を観測し、日本独自の暦（和暦）が改良されながらつくられた	8代将軍・徳川吉宗が、漢訳洋書の輸入制限を緩和したため、医学や科学技術を中心に発達	日本古来の精神や心を解明しようとする学問
主な学者	林鳳岡、木下順庵、新井白石、室鳩巣ら	中江藤樹、熊沢蕃山ら	山鹿素行、荻生徂徠、伊藤仁斎、稲生若水ら	貝原益軒、稲生若水ら	渋川春海、高橋至時ら	新井白石、前野良沢、杉田玄白ら	荷田春満、賀茂真淵、本居宣長、平田篤胤、塙保己一ら

豆知識

『古事記』の編纂を命じた天武天皇は、同時に『日本書紀』の編纂も命じた。2冊も歴史書をつくらせた理由は、『古事記』が和風の漢文で、『日本書紀』が純粋な漢文で書かれていることから、『古事記』は国内向け、『日本書紀』は中国など外国の目を意識したものだからと言われる。

141

32 杉田玄白

近代医学への扉を開いた医者

活躍した時代：江戸時代
生没年：1733～1817年

薬箱

当時の医者は、病人のいる家に訪ねて行って診療する往診が基本。薬は医者が自分で調合し、薬箱に入れて持ち運んだ。

時代の流れ

　江戸幕府が鎖国をしてから100年以上が過ぎた。しかし、8代将軍・徳川吉宗がオランダの書物の輸入を一部認めたことをきっかけに、西洋の先進性を知り、蘭学を学ぶ人は次第に増えていった。小浜藩（福井県南部）の医者・杉田玄白もその1人だった。

杉田玄白の人物像

江戸時代

杉田玄白

杉田玄白は**蘭方医学**の先駆者として、江戸時代の蘭学の発展に一役買った人物だ。玄白は若狭国（福井県）小浜藩の江戸屋敷に勤める藩医の息子に生まれ、18歳の時、幕府の奥医師（将軍おかかえの医師）に弟子入りして蘭方医学を学んだ。そして、藩の屋敷に医者として勤めながら、25歳の時には、町医者として日本橋で開業もした。

玄白は蘭方医として、長崎の出島から年に1度、江戸に出てきていたオランダ人商人や医者などと交流し、多くのオランダ語の書物を見せてもらっていたが、そんな中、**『ターヘル・アナトミア』**という精細に描かれた人体解剖の図鑑を手に入れた。当時、日本にはそのような解剖図鑑などなく、玄白はその内容に衝撃を受けた。そして39歳の時、玄白は前野良沢や中川淳庵ら医者仲間とともに、**腑分け**（人体解剖）を見学するチャンスを得て、『ターヘル・アナトミア』の解剖図が正確であることを確認すると、このメンバーを中心に、その翻訳に取りかかった。

1774（安永3）年、玄白らはおよそ4年の歳月を費やして、本文4巻、解剖図1巻からなる、日本初の西洋解剖書の訳本『解体新書』を完成させた。玄白は晩年、その時の苦労を『蘭学事始』という回想録に著している。その本は、後の明治時代に福沢諭吉（180ページ）によって刊行された。

🔑 キーワード

▶**蘭方医学**
江戸時代に、主にオランダ人医師などを介して日本に伝えられた西洋医学。当時、オランダ（蘭）は日本にとって西洋に通じる唯一の窓口だった。

▶**『ターヘル・アナトミア』**
もとはドイツの医師・クルムスが初心者向けに著した人体解剖の図鑑。そのオランダ語訳版の日本での通称。

▶**腑分け**
人体解剖のこと。当時、幕府の許可なしに腑分けをすることは禁じられていた。

143

『解体新書』と前野良沢

　杉田玄白が著した『蘭学事始』には、「前野良沢がいなければ、蘭学の道は開けなかった」と書かれている。実際、良沢は翻訳作業のリーダー的存在で、玄白はまず良沢からアルファベットを習うことから始めたほどだ。しかし『解体新書』には、翻訳者として杉田玄白の名はあっても、前野良沢の名はどこにもない。いったい、なぜだろうか？

　じつは良沢は、翻訳の出来栄えに不満を持っていて、自分の名前を載せることを拒んだのだという。良沢は、完璧ではないと思ったものを世に出したくなかったのだろう。それに対して玄白は、彼の表現を借りるなら、「江戸から京へ行くのに、とにかく西へ西へ進めばよいということだけを知らせる」ようなつもりで、正しい医学の大ざっぱなことだけでも、一刻も早く医者たちに知らせたかったようだ。

　『解体新書』出版後の２人の人生は対照的だ。杉田玄白は世間の名声を得て、生涯、カリスマ蘭方医としてもてはやされた。一方、前野良沢は学者として蘭学の研究を一心に続け、貧しいまま一生を終えた。蘭学に対するあまりの熱心さから「蘭化（蘭学の化け物）」と呼ばれたという良沢。良沢自身もそれで本望だったかもしれない。

▶『解体新書』の巻頭。この本に関わった人の名前が記されている。杉田玄白、中川淳庵の名はあるが、前野良沢の名はない

腑分けを早く見たい！

　日本で最初の公的な腑分けは、玄白らの17年前の1754（宝暦4）年、京都の漢方医・山脇東洋らが幕府の許しを得て行った。この時の腑分けには、玄白と同じ小浜藩医の小杉玄適が立ち会っており、玄適から腑分けの様子を聞いた玄白は、たいへんうらやましがったという。

もっと知りたい

江戸の科学技術の発達

江戸時代 杉田玄白

杉田玄白の親友に、日本初の発電機とも呼べる「エレキテル」を発明した平賀源内がいた。源内は、燃えない布「火浣布」をつくったり、土用の丑の日にうなぎを食べようという宣伝コピーを広めたりと、マルチな才能を発揮した人物だが、変わり者としても有名だ。玄白と源内は常々、「オランダ語の本を翻訳できればどれほど役立つだろう」と語り合っていたというが、当時、西洋（オランダ）からもたらされる文化は、彼らだけではなく、多くの人々を刺激し、学者たちの知識欲を駆り立てた。結果、蘭学は大いに発展した。また、外国との限られた交流の中で得た貴重な知識をもとに、人々は創意工夫をこらして、日本ならではの科学技術も発展させていった。

江戸時代の日本の科学技術あれこれ

▼平賀源内のエレキテル。エレキテルはヨーロッパで流行した人工的に静電気を起こす装置で、源内はその復元に成功した

郵政資料館提供

西洋から渡来した機械時計の仕組みなどを応用して、「からくり人形」や「和時計」がつくられた。また、「反射望遠鏡」や「顕微鏡」なども、西洋から輸入されたものを参考にして、自分たちの手でつくるようになった。

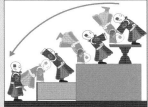

◀人形がとんぼ返りをして階段をおりる「からくり人形」の例

豆知識

江戸時代、刑死者の死体は刀の試し斬りに使われることがあった。切る場所や切り方も決められており、幕府の管理下で厳正に行われた。幕末になると刀の需要が増え、また、西洋医学の広まりから解剖も増えていったので、試し斬りと解剖とで死体の取り合いになったという。

33 日本列島の正確な地図をつくった
伊能忠敬

活躍した時代：江戸時代
生没年：1745〜1818年

わんか羅針
つえの先に取り付けて使う方位盤。磁石が常に水平を保つようにつくられていて、忠敬は自分が見やすいように改良していた。

時代の流れ
江戸時代の後期、鎖国を続ける日本に、通商を求める外国船の来航が相次ぎ、幕府は危機感を強めた。当時、幕府は日本列島の正確な地図を持っていなかったため、国防の観点からも、正確な国土地図の作製が急務だった。そこで伊能忠敬が地図作製を任された。

伊能忠敬の人物像

江戸時代　伊能忠敬

伊能忠敬は上総国（千葉県中部）の小関家の三男として生まれ、18歳の時、佐原（千葉県香取市）の大地主である伊能家へ婿入りして、伊能を名乗るようになった。伊能家の家業は酒造業で、忠敬はもともと得意だった数学を生かして商才を発揮。酒造業だけでなく、運送業や薪屋、米穀の販売など幅広く事業を展開して、ビジネスマンとして大成功を収めた。その後、50歳の時に家業を息子に譲って引退すると、かねてから興味を持っていた**天文学・暦学**を学ぶため、51歳にして、幕府の天文方である高橋至時に弟子入りし、本格的に学び始めた。

1800（寛政12）年、忠敬は幕府の許可を得て、蝦夷地（北海道）の測量に赴いた（伊能測量隊による第1次測量）。**緯度**1度分の長さを正確に割り出すなど、測量結果のすばらしさに驚いた幕府は、本格的な日本地図づくりを忠敬に任せた。それ以降、伊能測量隊は日本全国の沿岸を中心にくまなく測量を行った。

最後の測量から2年後、忠敬は74歳で亡くなったが、彼の死後、弟子たちの手によって、日本最初の実測地図『大日本沿海輿地全図（伊能図）』が完成した。忠敬が地図づくりのために歩いた距離は、3万5千キロメートル以上。これは地球1周分に近い距離だった。

キーワード

▶天文学・暦学

天文学・暦学とは、江戸時代に暦を作成するために、天体の運行や暦の方式・作成に関することを研究した学問のこと。江戸時代、幕府によってつくられた天文台は、暦局という役所の役割も持ち、暦局の責任者は天文方と呼ばれた。

▶緯度と経度

緯度とは、赤道を0度として、赤道に平行して地球の表面を南北に測る座標。経度とは、イギリスの旧グリニッジ天文台を通る南北の線を0度として、地球の表面を東西に測る座標（148ページ）。

金のことなら心配するな！

　伊能忠敬がビジネスマンとして成功した際に、彼が築いた資産は約3万両にも上ったという。1両を8万円として計算すると約24億円にもなる金額だ。伊能忠敬が蝦夷地に赴いた第1次測量の際、江戸幕府は伊能隊に1日あたり銀7匁5分（今の約1万円）を支給した。だが、6人いた隊員の宿泊費や、測量道具などの荷物を運ぶための人足を頼んだり、馬の調達をしたりなど、測量期間中にかかるすべての費用をこのお金でまかなうことはできず、実際にかかった費用の5分の1にしかならなかった。残りの費用は忠敬が払ったようだが、大金持ちの彼には何も問題なかっただろう。

　じつは、忠敬が天文学者・暦学者としていちばん興味があったことは、「地球の大きさ」がどれくらいかということだった。地球の大きさを知るには、緯度1度分の長さがわかればよかったのだが、まだ正確な長さはわかっていなかった。より正確な緯度1度分の長さを測るには、なるべく離れた2地点で北極星の角度を測り、そのデータから算出するのが望ましい。しかし、当時の日本では自由に遠方への移動ができなかった。蝦夷地への測量の旅は、忠敬にとって願ってもないチャンスだったのだ。

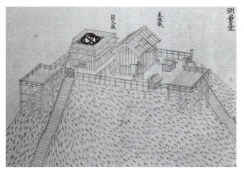

▲1782（天明2）年から幕末まで使われた浅草天文台の絵
国立天文台

世界レベルの測量技術

　1802（享和2）年、第3次測量を終えた忠敬は、緯度1度分の長さを28里2分（約111キロメートル）と割り出した。これは、西洋の天文学書『ラランデ暦書』に書かれていた緯度1度分の長さと同じだったことが後に確認された。忠敬の技術は世界レベルだったのだ。

もっと知りたい

江戸時代 伊能忠敬

測量の基本は自分の歩幅

　伊能隊の測量では、誤差を減らすためさまざまな工夫をして、それまでとは違う、より正確な地図をつくった。当時、距離を測るには、縄に目盛をつけた「間縄」や、長いものさしの「間竿」、鉄の棒が鎖状につながっている「鉄鎖」などの測量道具が使われたが、いちばん基本的な方法は「歩測」だった。歩測とは、測量する場所を歩いて歩数を数え、その数に自分の歩幅をかけて距離を計算する方法だ。測量は整備された場所だけでの作業ではなかったため、測量道具を使いづらい場所もあった。歩幅が一定であればあるほど、より正確な距離が出せることから、忠敬は自分の歩幅を一定の長さに保てるよう、普段から訓練していたという。

　その他、道線法や交会法と呼ばれる、当時広く使われていた測量法に加え、富士山の山頂など遠くの目標物を数カ所で測り、後で照らし合わせる遠方交会法や天体観測など、いろいろな方法を組み合わせて測量は行われた。

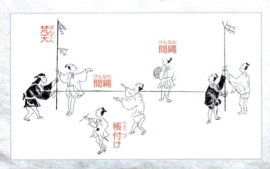

◀ 鎌掛村（滋賀県日野町）の測量風景素描画。目印を持つ梵天持ちや、距離を読み取る人、読み取った数値を記入する帳付けなど、測量には多くのスタッフが必要だった

鎌掛公民館文化部「鎌掛村誌」

豆知識　高橋至時のもとで天文学・暦学を学んでいた時、忠敬は弟子仲間から「推歩先生」と呼ばれていた。「推歩」とは天文学・暦学の用語で、星の動きを測るという意味。そう呼ばれるくらい、忠敬は日々、星の観測とその計算に明け暮れていたそうだ。

149

34 ペリー

黒船を率いて日本にやってきた

活躍した時代：江戸時代
生没年：1794〜1858年

サーベル
西洋の細身の軍用刀。18世紀以降、おもにヨーロッパやアメリカで使われた。日本刀は斬るためのものだが、サーベルは突くためのもの。

時代の流れ

18世紀にイギリスから始まった産業革命によって、欧米では工業化が進み、蒸気機関などの新しい技術が発明された。そして、欧米諸国は市場や安い原料を求めて東アジアに進出を始めた。1853（嘉永6）年には、ペリー率いるアメリカの蒸気船・黒船が鎖国を続ける日本にやってきた。

ペリーの人物像

　ペリーは、鎖国を続けていた日本を開国させた人物だ。アメリカ合衆国・ロードアイランド州ニューポートで、軍人一家の息子に生まれた。成長すると、自分もアメリカ海軍の軍人となり、アメリカの最初の蒸気軍艦フルトン2世号の艦長などを経て、東インド艦隊司令長官に就任した。

　1853（嘉永6）年、ペリーは日本の開国を求めるアメリカ大統領の親書を携え、軍艦4隻を率いて日本にやってきた。浦賀沖（神奈川県横須賀市）に停泊する黒塗りの巨大な軍艦は、日本人にとって大きな衝撃で、**黒船**と呼ばれた。ペリーは久里浜に上陸し、大統領の親書を幕府の役人に渡すと、再来日を約束していったん日本を離れた。これを受け、幕府は開国するかどうかで大きく揺れた。

　老中の阿部正弘は、アメリカ大統領の親書の内容を朝廷に報告し、諸大名や幕臣たちに広く意見を求めた。阿部はこの難局を朝廷や大名たちと連携して乗り切ろうとしたのだが、これによって幕府の弱気が見透かされ、幕府の絶対性は揺らぎ、その威信は低下した。

　翌年、ペリーは再来日し横浜に上陸した。幕府は結局、アメリカに押し切られる形で**日米和親条約**を結んだ。次いで、イギリス・ロシア・オランダとも同様の条約を結び、日本はついに開国することになった。

🔑 キーワード

▶黒船
当時の西洋式大型船は、船体のさび止めに黒いタールが塗ってあった。その黒い外見から、日本人はこれらの大型船を黒船と呼んだ。

▶老中
江戸幕府で将軍に直属して政治を行う、幕府の最高職。2万5千石以上の譜代大名（徳川家の家臣団から大名になった者）から任命された。

▶日米和親条約
1854（嘉永7）年、幕府とアメリカ合衆国が結んだ条約。この条約によって日本は下田と箱館（現在の函館）の2港を開港することになった。

「赤鬼」と呼ばれたペリー

　ペリーは日本人から「赤鬼」と呼ばれた。当時の日本人が、あまりなじみのなかった外国人・ペリーに恐れを抱いてそう呼んだのだろう。江戸の町ではペリーの似顔絵がたくさん出回った。一般の庶民はペリーの顔など見たこともないので、役人たちから話を聞くなどして描いたものと思われるが、中には本当に鬼のような顔をしたものもあった。

　ペリーは日本に開国を迫るにあたって、強気な態度にでる一方で、プレゼントを用意したり、軍艦でパーティーを開いたりと、日本人をさまざまにもてなした。ペリーのプレゼントはミニチュアの蒸気機関車、電信機、望遠鏡、小銃など先進文明の粋を集めたもので、幕府の役人たちは大はしゃぎ。また、牛肉や羊肉を使った料理や、ハム、果物にワイン、シャンパンなども振る舞われ、日本人は食べきれなかった料理を紙に包んで、懐に入れて持ち帰ったという。

　ペリーは帰国後、日本への遠征についての公式な記録として『ペリー提督日本遠征記』を書いた。それを見ると、ペリーは日本に好印象を持っていたことがわかる。とくに、日本の女性の立場が奴隷のようなものでなかったことが、他の東洋諸国に勝る日本の美徳だとしている。

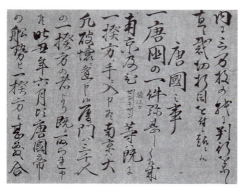

▲オランダ商館長が、世界情勢などを記して幕府に提出した『オランダ風説書』と呼ばれる報告書

国立国会図書館

幕府は知っていた！

　ペリーは突然日本にやってきたわけではなく、幕府は事前に知っていた。長崎・出島のオランダ商館長の報告書や、薩摩藩経由で得た琉球（沖縄県）からの情報で、琉球にペリーが到着したことも知らされていた。ただ、幕府はそれらの情報を得ても、対策を打てずにいたのだ。

もっと知りたい

開国がもたらした混乱

江戸時代 ペリー

「日米和親条約」が結ばれると、アメリカからハリスが駐日総領事として下田にやってきて、さらに通商条約を結ぶよう日本に強く求めた。幕府は要求に応じて、朝廷に条約を結ぶ勅許（天皇の許し）を得ようとしたが、朝廷では、天皇をはじめとして、条約を結ぶことに反対する意見が強く、勅許は得られなかった。それでも幕府の大老・井伊直弼は、欧米列強からの侵略を防ぐためには条約を結ぶしかないと考え、1858（安政5）年、「日米修好通商条約」を結び、アメリカとの交易を行うことを決めた。そして同様の条約を、オランダ・ロシア・イギリス・フランスとも結んだ（安政の五カ国条約）。しかし、この条約締結は、勅許のない勝手なものだとして、幕府は激しい非難を受けた。直弼は、幕府の政策に反対する者を徹底的に弾圧したが（安政の大獄）、1860（安政7）年、江戸城の桜田門外で暗殺されてしまった（桜田門外の変）。

日本がアメリカと結んだ条約

日米和親条約
1854（嘉永7）年

- 下田・箱館（現在の函館）の2港を開港して、領事の駐在を認める
- アメリカに最恵国待遇を与える

日米修好通商条約
1858（安政5）年

- 神奈川・長崎・新潟・兵庫を開港
- 江戸と大坂の市場の解放
- 領事裁判権を認める
- 関税自主権がない

どちらもアメリカ側に有利な条約だった

【最恵国待遇】……………
日本がアメリカ以外の国と条約を結んで、アメリカより有利な条件があった場合、アメリカにも自動的にそれが適用されること

【領事裁判権】……………
日本で犯罪を犯したアメリカ人の裁判は、アメリカ人が行うこと

【関税自主権】……………
輸入品にかける税率を自分の国で決めること。日本にはその権利が認められなかった

豆知識

ペリーは日本で外交交渉をするかたわら、江戸湾や伊豆、小笠原諸島などの動植物の調査や採取をしていた。ペリーがアメリカに持ち帰ったものの中に大豆があるが、現在、アメリカは大豆の生産高で世界一を誇っている。ペリーのおみやげがアメリカで実を結んだのだ。

35 日本の夜明けを目指した幕末のヒーロー
坂本龍馬

活躍した時代：江戸時代
生没年：1835〜1867年

ピストル
アメリカのスミス・アンド・ウエッソン社製のピストル。長州藩士・高杉晋作が清（中国）に渡って買ってきたものを、龍馬が譲り受けたという。

時代の流れ

ペリー来航をきっかけに日本は開国した。しかし、幕府は不利な条件の条約を受け入れたことで、多くの人々の非難を浴びた。やがて、日本から外国人を追い出して、朝廷を中心にした政治を行おうという考え（尊王攘夷論）が広まった。そんな時代に活躍したのが坂本龍馬だ。

坂本龍馬の人物像

江戸時代　坂本龍馬

　坂本龍馬は、土佐藩（高知県）の下級武士である郷士の家に生まれた。青年時代、剣術修行のために江戸へ出た際、黒船を見て大きな衝撃を受けた龍馬は、仲間とともに土佐藩の改革に乗り出す。しかし、藩の役人と対立し、藩を飛び出して浪人となった。土佐を出た龍馬は、やがて長崎に海軍と貿易会社を兼ねた「亀山社中」（後の海援隊）をつくり、さまざまな取引を行うようになった。その頃、**尊王攘夷**という考え方が広まり、薩摩藩（鹿児島県）と長州藩（山口県）を中心に、新しい国家をつくろうという動きが高まっていたが、両藩は、目指す国家像の違いなどから長い間対立していた。龍馬は、貿易を通じて両藩の仲立ちをして**薩長連合**を成立させ、**倒幕運動**を加速させた。龍馬自身は、武力を使わずに幕府を倒すのがベストだと考え、新しい日本の形をつくるための8つの政策「船中八策」（157ページ）を考案。土佐藩の後藤象二郎や元藩主の山内豊信（容堂）らを通じて、幕府の15代将軍・徳川慶喜に進言した。

　倒幕運動の高まりを受け、1867（慶応3）年、幕府は天皇に政権を返す「大政奉還」を行い、ついに江戸幕府は幕を閉じた。船中八策のうちの1つであった大政奉還が行われたひと月後、龍馬は新しい日本を見ることなく、盟友の中岡慎太郎とともに京都の近江屋で暗殺された。

🗝 キーワード

▶**尊王攘夷**
天皇を最高の権威として尊敬する「尊王論」と、夷狄（外国）を撃退しようという「攘夷論」が結びついた考え方。やがて倒幕運動に結びついた。

▶**薩長連合**
1866（慶応2）年、長い間対立していた薩摩藩と長州藩が、坂本龍馬・中岡慎太郎らの仲介により政治的・軍事的に協力しあうことを約束した。

▶**倒幕運動**
江戸幕府を倒して、外国に対抗できる強い政府をつくろうとした動き。薩摩藩と長州藩を中心として、武力による倒幕もやむなしと考えられていた。

155

龍馬暗殺の真犯人は誰だ？

　坂本龍馬暗殺から3年後、京都見廻組の今井信郎が暗殺犯として捕まったため、真犯人は見廻組だという説が有力だ。しかし、他にもさまざまな真犯人説や黒幕説が浮上し、龍馬暗殺事件の真相は今も幕末最大の謎として人々の関心を集めている。果たして真相はいかに？

❶ 見廻組説	京都の取り締まりを任されていた見廻組が犯人だという説。龍馬を斬った実行犯として、今井の他、複数の人物名が挙がっている
❷ 新選組説	見廻組同様、京都の取り締まりを任されていた新選組が犯人だという説
❸ 紀州藩陰謀説	海援隊が乗り込んだ「いろは丸」と、紀州藩の船が衝突事故を起こした際、紀州藩が法外な賠償金を取られたことを根に持ってやったという説
❹ 薩摩藩陰謀説	新しい政府の形をめぐり、考え方が龍馬と対立したため、邪魔に思っていたという説。黒幕は西郷隆盛か？
❺ 後藤象二郎陰謀説	船中八策を自分の手柄にしたかったためという説
❻ 榎本対馬陰謀説	幕府の大坂城代目付の榎本が、京都の寺田屋で龍馬を取り締まった（襲った）際に（寺田屋事件）、仲間を殺されたことを恨んでやったという説

真相を知っているのはわしだけぜよ

▲ここに挙げた以外にも、龍馬暗殺をめぐってはさまざまな説が取りざたされている

龍馬がほれた女性

　龍馬が京都の寺田屋で幕府の役人に襲われた時、そこで働いていた恋人のお龍がすばやく異変を知らせてくれたおかげで、襲ってきた相手を迎え撃ち、無事に逃げ切った。その後、2人は結婚し、鹿児島方面に温泉旅行に出かけた。この旅行は日本初の新婚旅行といわれている。

もっと知りたい
倒幕で結束した薩摩藩と長州藩

江戸時代
坂本龍馬

　1860（安政7）年、幕府の大老・井伊直弼が桜田門外で暗殺された後、幕府は地に落ちた権威を取り戻すため、朝廷（公）の力を借りて幕府（武）の体制を強化しようとした（公武合体政策）。

　この「公武合体派」の中心は薩摩藩で、一方、外国人を追い払って天皇を中心とした政府をつくろうという「尊王攘夷派」の中心が長州藩だった。しかし、1863（文久3）年、薩摩藩は藩士によるイギリス人殺害事件（生麦事件）の報復として、イギリス艦隊の砲撃を受け大打撃をこうむった。また同年、長州藩は下関（関門）海峡を通る外国船を砲撃して海峡を封鎖したが、翌年、イギリスなどに攻められて下関の砲台を奪われた。これらの事件を通して欧米列強の強さを思い知った両藩は、それまでの考え方を改め、幕府を倒して外国に負けない強い国をつくることの必要性を実感した。そんな中で両藩を結びつけたのが坂本龍馬だった。薩摩藩と長州藩は軍備を増強するなどの藩政改革を行い、倒幕に突き進んでいった。

船中八策

1、国を治める力を幕府から天皇に戻す
2、上下2つの議会をつくり、よく議論して物事を決める
3、重要な役職には、身分から優れた人を集めてつける
4、外国と交際する時はよく議論して、間違いのないよう約束を結ぶ
5、新しい憲法をつくる
6、海軍の力を強化する
7、天皇がいる都を守る兵を置く
8、外国との貿易で、公平な取引ができるようにする

◀「大政奉還」は、龍馬が考えたとされる「船中八策」のうちの1つ目の項目に入っている。他の項目も、いずれも後年、龍馬の考えた通りに実現している。龍馬の先見性がよく分かるだろう

豆知識　龍馬は筆まめな人で、日本の改革を決意したことや、お龍を恋人としたことを、手紙で姉の乙女やまわりの人々に伝えている。龍馬の手紙は主にひらがなとカタカナだが、イラストや記号入りのものもあって個性的。誤字や脱字も多いが、小さなことは気にしないのが龍馬流だ。

36 幕臣でありながら新しい日本を目指した
勝海舟(かつかいしゅう)

活躍した時代：江戸時代
生没年：1823～1899年

二本差し
武士の基本スタイルは、大刀（打刀）と脇差（短刀）を2本腰に差す二本差し。勝は直心影流の達人だったが、刀を抜くことを嫌った。

時代の流れ
倒幕運動の高まりを受け、1867（慶応3）年、幕府は「大政奉還」を行って朝廷に政権を返し、260年以上続いた江戸幕府は滅びた。しかし、新政府による新たな国づくりに反対する旧幕府勢力は抗戦の構えを見せ、1868（慶応4）年、戊辰戦争が始まった。

勝海舟の人物像

勝海舟は幕末に幕臣（幕府の家臣）として活躍し、明治新政府にも影響力を残した人物だ。勝は江戸の貧しい武士の家に生まれ、結婚後も貧乏から抜け出せず、天井板もまき代わりに燃やしてしまうほどだったという。

しかし、勝は勉強に打ち込んで出世の道を自ら切り開いていった。蘭学、とくに西洋兵学に精通した勝は、海防に関する意見書を幕府に提出。それが認められて登用されると、幕府の**軍艦操練所**の教授方となり、1860（安政7）年には、幕府の軍艦・**咸臨丸**に艦長格として乗り込み、アメリカと日米修好通商条約を結ぶために海を渡った。これは日本人の手による初めての太平洋横断だった。

帰国後、勝は神戸に海軍操練所を設立し、そこで坂本竜馬ら浪士たちの指導も行っている。やがて勝は幕府の軍艦奉行（海軍のトップ）となったが、大政奉還によって江戸幕府は消滅。その後、**戊辰戦争**が起こると、旧幕府側の陸軍総裁として、新政府側との武力衝突を終わらせるための停戦交渉を行った。勝は新政府側の代表・西郷隆盛（172ページ）との会談で、江戸城を新政府に引き渡すこととし、江戸に向かっていた新政府軍との江戸での戦争を回避した（江戸無血開城）。勝は明治新政府でも要職に就くなど、新しい日本の国家づくりに力を尽くした。

🔑 キーワード

▶軍艦操練所
1857（安政4）年、江戸の築地に設けられた海軍の教練機関。このような教練機関は長崎や神戸にもつくられた。

▶咸臨丸
江戸幕府がオランダに注文し、購入した蒸気軍艦。勝らを乗せて太平洋を横断した後、旧幕府軍艦隊の1隻として蝦夷地でも活躍した。

▶戊辰戦争
1868（慶応4）年、京都で起こった新政府軍と旧幕府軍との「鳥羽・伏見の戦い」から、1869（明治2）年の箱館戦争までをいう。

江戸時代　勝海舟

お世辞なんざ言えねえ！

　咸臨丸でのアメリカ渡航から帰国した後、上司である幕府の老中から呼ばれた勝は、アメリカで何か新しいことを発見しなかったかと問われ、こう答えた。「アメリカでは、政府でも民間でも、人の上に立つ者は、皆その地位にふさわしく利口です。この点だけは、まったく我が国と反対のように思われます」。老中にしてみれば、部下である勝から自分が利口でないと言われたようなものだから、大いに怒ったという。

　江戸っ子の勝は、歯に衣着せず、上司に対しても自分の意見をはっきり言った。そのため勝を嫌う人もいたが、坂本龍馬や西郷隆盛など、幕府、新政府という立場に関わらず、勝の人柄を信頼する人もたくさんいた。勝は幕府の官僚だったが、徳川家ではなく日本のためを第一に考えた。明治新政府の役人として勤めた後、隠居して77歳まで生きた勝は、当時の政治家や自分の人生、歴史上の偉人などについても自由気ままに語っていてじつに面白い。

> 西郷の銅像を上野に建てたとて、それが何だ。銅像は「おおきにありがとう」ってお礼を言うかい。銅像は口をきかないよ！（『氷川清話』から）

> 政治家も理屈ばかり言うようになってはいけない。徳川家康公は理屈を言わなかったが、それでも300年続いたよ！（『氷川清話』から）

西郷の人柄を讃える！

　勝は、江戸城明け渡し交渉の際、西郷の「いろいろ難しい議論もありましょうが、私が一身にかけてお引き受けします」との言葉に感激し、彼の人柄を絶賛している。勝は後日、「官軍（新政府軍）に西郷がいなければ、話はとてもまとまらなかっただろうよ」と振り返っている。

『氷川清話』＝晩年の勝の言葉を集めたもの

もっと知りたい 明治新政府の誕生！

江戸時代 勝海舟

　倒幕運動の高まりを受け、江戸幕府15代将軍・徳川慶喜は大政奉還を行い、朝廷に政権を返上した。しかし、慶喜は降参したわけではなく、その後の政権に参加して影響力を保とうとしていたのだ。これに対して倒幕派の薩摩藩と長州藩は、朝廷内の急進派・岩倉具視らと連携し、「王政復古の大号令」を発して、天皇を中心とする新政府の樹立を宣言した。新政府の要職は皇族や公家、薩摩藩、長州藩、土佐藩などで占められ、慶喜はここに入れなかった。さらに慶喜には、官職の辞退と領地の一部返上などが申し付けられた。

　これを不満に思った慶喜は、大坂城に入って反撃の機をうかがう。そして、1868（慶応4）年1月3日夜、旧幕府軍は、京都の鳥羽・伏見で新政府軍と激突。ここに戊辰戦争が勃発した。数の上では有利だった旧幕府軍だが、新政府軍の新式の銃や大砲の前に敗北し、慶喜は江戸へと逃げ帰った。勢いに乗る新政府軍は江戸に向かって進軍を開始したが、ここで勝と西郷が会談、江戸無血開城が決まった。しかし、旧幕臣の中には抵抗を続ける者もおり、翌年の箱館戦争まで、国内の争いは続いた。

◀勝と西郷の会見の地に立つ碑（東京都港区）

豆知識　福沢諭吉は、咸臨丸での勝が、「とても船に弱く、航海中は病人同様で自分の部屋の外に出なかった」と暴露。また、幕府の役人から新政府の役人にもなった勝を、「やせ我慢して辞退するべきだ」と批判した。勝はそんな自分への評価をとくに気にしなかったという。

161

安土桃山時代〜江戸時代

異国文化が日本に入った安土桃山時代

　室町時代の後半から、全国に戦国大名が並び立ち、それぞれが天下を狙って争うようになりました。戦国大名の中で最初に天下統一に近づいたのが織田信長でした。信長は刀や弓矢などを使った旧来の戦い方をやめて、鉄砲を集団で使うなど、新しいやり方を積極的に取り入れて、古い体制を壊していきました。室町幕府を倒し、天下統一を目の前にした時、部下の裏切りで命を落としましたが、信長の後継者となった豊臣秀吉が、天下統一を成し遂げました。秀吉は、太閤検地を行って全国の田畑の面積や収穫高を調べたり、米の量を計るための枡の大きさを共通にしたりするなど、全国を支配するための整備を進めました。また、この時代は、スペインやポルトガルなど海外との貿易が盛んに行われ、異国文化が日本に入り、主に西日本を中心にキリスト教も広まりました。

天下太平の世が長く続いた江戸時代

　豊臣秀吉の死後、関ヶ原の戦いに勝利した徳川家康は、征夷大将軍に就任し、全国の大名を従えて江戸幕府を開きました。その後、家康は豊臣家を滅ぼし、全国の大名や朝廷を支配する法律を定めて幕府の基礎を築きました。3代将軍・徳川家光は、全国の大名たちに参勤交代を義務づけて、大名たちが力を蓄えすぎないようにするとともに、幕府に従わない恐れのあるキリスト教を禁じ、外国との交流も禁止しました。このような政策や、武士をトップとする身分制度の確立によって国内は安定し、大きな争いのない天下太平の世が続いていきました。歌舞伎や人形浄瑠璃といった町人文化が花開き、朱子学・蘭学・国学・自然科学などの学問も大きく発達しました。将軍のお膝元・江戸は世界でも有数の大都市になりました。しかし、幕府が国を閉ざしていた間に産業革命を成し遂げた西洋諸国が世界に進出を始めると、その外圧で幕府は開国。開国後の混乱によって幕府は滅びることになったのです。

明治時代、「富国強兵」をスローガンにさまざまな改革を行った日本は、世界の一等国へと着実に成長していった。しかし、それはそのまま、日本を戦争へと向かわせることになる。日中戦争を経て、世界で孤立していった日本は、ついに太平洋戦争へと突き進んでいく。

近現代

明治時代

木戸孝允
1833年～1877年

明治天皇
1852年～1912年

西郷隆盛
1827年～1877年

大久保利通
1830年～1878年

福沢諭吉
1834年～1901年

大隈重信
1838年～1922年

板垣退助
1837年～1919年

伊藤博文
1841年～1909年

陸奥宗光
1844年～1897年

東郷平八郎
1847年～1934年

小村寿太郎
1855年～1911年

大正時代

昭和時代

平塚らいてう(ちょう)
1886年～1971年

野口英世
1876年～1928年

東条英機
1884年～1948年

37 木戸孝允

明治維新を成し遂げた「維新三傑」の1人

活躍した時代：明治時代
生没年：1833～1877年

ざんぎり

ちょんまげを切り落として、西洋風に刈り込んだ髪型。1871（明治4）年、ちょんまげと帯刀を禁止した「散髪脱刀令」によって流行した。

時代の流れ

　1868（明治1）年、江戸時代が終わり、「明治時代」が始まった。それまで日本の政治を動かしてきた徳川家に代わり、倒幕運動を主導した薩摩藩や長州藩のメンバーを中心に、新政府がつくられた。長州藩出身の木戸孝允は、その中心人物の1人として数々の改革を行っていく。

明治時代 木戸孝允

木戸孝允の人物像

　木戸孝允は、明治維新の最大の功労者として、西郷隆盛（172ページ）、大久保利通（176ページ）と並び、「維新三傑」の1人に数えられる。

　木戸は旧名を桂小五郎という。長州藩の医師の子に生まれ、8歳の時に隣の武士の家の養子となり、その後、長州の思想家・**吉田松陰**に学んで攘夷思想に目覚めた。22歳の頃、江戸に留学した木戸は、剣術や洋式兵術、蘭学などを学びながら、薩摩藩などの尊王攘夷派の志士たちと親交を深めた。やがて長州藩は外国との戦争（**四国艦隊下関砲撃事件**）や幕府からの攻撃（**長州征伐**）を受けて危機を迎えるが、木戸は長州藩の代表として薩摩藩の西郷隆盛と会談し、薩長連合を成立させて倒幕運動を推し進めた。

　倒幕を果たした後、木戸は新政府の中心メンバーとして、版籍奉還、廃藩置県（167ページ）などの改革を行い、日本を中央集権国家へと導いていった。1871（明治4）年、政府が欧米に派遣した岩倉使節団の副使として先進諸国をまわった木戸は、各国の様子や憲法などを学んで帰国。日本も早く憲法を制定するべきだと訴えた。しかし、「まずは日本の国力を高めるのが先だ」という大久保らの反対にあい、憲法制定は後の時代に持ち越された。とはいえ、新しい日本の国づくりのため、木戸の果たした功績は大きなものだった。

🔑 キーワード

▶吉田松陰
長州藩士で思想家。「松下村塾」という私塾を開き、木戸らに学問を教えた。彼に学んだ多くの者が倒幕運動で活躍した。

▶四国艦隊下関砲撃事件
1864（元治1）年、アメリカ・イギリス・フランス・オランダ4カ国の連合艦隊が、下関の砲台を襲撃し、破壊した。前年の長州による外国船砲撃に対する報復だった。

▶長州征伐
1864（元治1）年と1866（慶応2）年の2度、幕府が長州藩を攻めた戦い。第1次征伐では長州藩が幕府に謝罪。第2次征伐では長州藩が勝利した。

あだ名は「逃げの桂」

　幕末、「尊王攘夷」を叫び、過激な行動が目立つようになった長州藩士たちは、幕府から目の敵とされ、京都の治安維持を任されていた「新選組」などの組織から追われることになった。1864（元治1）年、新選組は京都の「池田屋」という旅館に長州藩らの志士たちが集まっていることを突き止め、そこを襲撃した（池田屋事件）。この時、新選組によって志士たち10人が斬られ、23人が逮捕されたのだが、じつは池田屋には木戸（当時は桂小五郎）もいて、危険を察知して真っ先に逃げたという。木戸は、このような命の危険に幾度かさらされたが、その度に逃げ出し、「逃げの桂」と呼ばれるようになった。一時的に名を汚したとしても、大きな志を成し遂げるためには、生き続けることが大事だと考えたのだろう。

　そんな「逃げの桂」を支えたのは、芸者の幾松という女性だった。幕府のお尋ね者となった木戸は、乞食に変装して京都の三条大橋（現在の二条大橋）の下に潜んでいたこともあった。幾松は危険をかえりみず、夜な夜なおにぎりを届けたり、芸者の立場を利用して客から情報を集めては木戸に伝えたりしていた。木戸と幾松は、江戸幕府が倒れて明治の世になってから、晴れて結婚した。

▶奇兵隊を組織した高杉晋作の像。高杉は長州藩を倒幕に突き動かしたが、結核のため明治維新を見ることなく、29歳でこの世を去った

仲間さえもリストラ！

倒幕の戦いで、長州藩の主力の1つとして活躍したのが「奇兵隊」だ。武士だけでなく農民や町民からも兵を募り、最新の武器を装備し、抜群の戦闘力を誇った。しかし、明治になると、木戸は奇兵隊を解散させた。日本をひとつの国家にまとめるため、藩の軍は不要と判断したのだ。

もっと知りたい 日本を強く！明治政府の改革

明治時代 木戸孝允

　明治政府の最重要課題は、「欧米列強に対抗できる国をつくる」ということだった。そのため、国の仕組みの大手術を行った。まずは、大名たちが支配する領地、すなわち「藩」を解体した。藩がそれぞれ領地を持って兵力を蓄え、時には政府を脅かすような状態では、国は強くなれないと考えたのだ。1869（明治2）年、「版籍奉還」によって各藩の藩主が持つ領地と領民を政府に返上させ、1871（明治4）年、「廃藩置県」によって藩を廃止して府県を置いた。そして、政府から府知事や県令（今の県知事）を派遣し、政府が地方を直接支配した。他にも、「教育」「軍事」「税」などの改革を次々と行っていった。明治初期の日本の近代化に向けた一連の改革を「明治維新」という。

こんなに変わった！国のかたち

	江戸時代	明治時代
国家体制	各藩の藩主がそれぞれ領地と領民を所有していた	日本の領土と国民はすべて天皇（国）のものとなった（版籍奉還）
身分制度	武士をトップとし、その下に百姓や町人などを置いた（士農工商）	形式的には国民はすべて平等とされた（四民平等）
教育	勉強したい人が学校（寺子屋）に通った	6歳以上の男女すべてが小学校教育を受けることを定めた（学制）
軍事	主に武士が兵として戦った	20歳以上の男子は兵役の義務を負うようになった（徴兵令）
税	土地の収穫高に応じて、決められた割合の米を納めた	土地の価格に対し3％（後に2.5％）の割合の現金を納めた（地租改正）

豆知識

　幼い頃、武士の家の養子になった木戸は、90石の家禄（1年に90人の家臣を養えるだけの給料）がもらえる身分となった。子どもの頃からお金に困ったことがなく、お金に無頓着だった木戸は、お金を盗まれても平気だったり、貧しい人にお金をあげたりすることもよくあったという。

38 明治天皇

日本を近代国家へと導いた天皇

活躍した時代：明治時代
生没年：1852〜1912年

立纓冠
冠の付属具を纓という。もともと天皇の冠は纓が下に垂れていたが、江戸時代に纓が上に直立している立纓冠となった。

時代の流れ

江戸幕府を倒した明治新政府は、過去の将軍よりも強大な力を持つものとして天皇を位置づけ、天皇を中心とする国づくりを行った。若くして国の中心に立った明治天皇のもと、日本は近代国家へ生まれ変わっていくことになる。

明治天皇の人物像

　明治天皇は、121代・**孝明天皇**の子に生まれた。名は睦仁という。1866（慶応2）年12月末、孝明天皇が亡くなり、翌年1月に122代天皇として即位した。時代は幕末の動乱期で、即位から10カ月後には、大政奉還が行われた。しかし、あくまで倒幕にこだわる薩長両藩の主導により、12月、明治天皇は**王政復古の大号令**を発し、それまでの幕府や将軍などの制度をすべて廃止し、新しい国家をつくることを宣言した。そして1868（慶応4）年、明治天皇は新しい国の方針として**五箇条の誓文**を発表し、これに従って日本の国づくりが進められていった。時代の流れによって突然、日本の政治の中心に立った若き明治天皇は、当初は、倒幕を成し遂げた新政府のメンバーらに従うばかりであったが、次第に文武両道に優れた君主に成長していった。

　明治天皇が治めた明治時代は、日本が近代国家として急激に成長していった時代で、日清戦争・日露戦争（197、201ページ）という2つの大きな外国との戦争も経験した。しかし、明治天皇は積極的に戦争を行ったわけではなく、できれば戦争は避けたいと考えていた。明治時代を通して日本が力をつけていくに従い、明治天皇の権威は飛躍的に高まり、国民のカリスマ的存在として神格化されていったのである。

🔑 キーワード

▶孝明天皇

名は統仁。公武合体（朝廷と幕府を合体させること）を支持し、過激な尊王攘夷派を嫌った。病気で急死したため、毒殺説もある。

▶王政復古の大号令

薩長両藩の武力倒幕派の主導によって出された、天皇の命令。古代（伝説）の神武天皇にならって、天皇中心の世の中にすることなどが宣言された。

▶五箇条の誓文

明治新政府の基本となる5つの方針。草案（原案）を最終的に木戸孝允が修正し、明治天皇が神々に誓うという形で出された（170ページ）。

明治時代 / 明治天皇

都は京都から東京へ！

1868（明治1）年、江戸時代が終わり、新しい時代が始まった。しかし、長年将軍の下で暮らしてきた人々にとって、新しい支配者となる天皇はなじみのない存在だった。なぜならこれまで天皇は、京都御所の奥にいて人々の目に触れることはなかったからだ。そこで政府は、天皇をあの手この手で民衆にお披露目した。その手始めとして明治天皇は、大行列を引き連れて京都を出発、東京へと向かった。豪華な行列を率いて街道を通ることで、「新しい支配者は天皇である」ことを宣伝したのだ。

明治天皇一行は行く先々で、病人や高齢者などには見舞金を、孝行者には褒美を与えるなどして人々と触れ合った。いよいよ東京へと入る時、明治天皇は鳳凰の飾りのついた輿に乗り換え、雅楽隊を先頭に3300人もの大行列で進み、江戸城へと入った。その後はいったん京都に戻ったが、翌年、再び東京に入った。新政府の最高官庁である太政官も東京に移転、ここから、実質的に東京が京都に変わる新しい都となった。明治天皇はこの後も、大行列を引き連れて日本各地をまわる全国巡幸を何度も行った。

新しい国の方針！これが「五箇条の誓文」だ

1、広ク会議ヲ興シ万機公論ニ決スヘシ
（政治は大勢で会議を開いて決めよう）

2、上下心ヲ一ニシテ盛ニ経綸ヲ行フヘシ
（みんなで心を1つにして国を治めよう）

3、官武一途庶民ニ至ル迄各其志ヲ遂ケ人心ヲシテ倦マサラシメン事ヲ要ス
（みんなが志を遂げられる政治を行おう）

4、旧来ノ陋習ヲ破リ天地ノ公道ニ基クヘシ
（これまでの悪い習慣を改め正しい道理に基づこう）

5、知識ヲ世界ニ求メ大ニ皇基ヲ振起スヘシ
（外国の知識を取り入れ国を栄えさせよう）

※太政官＝明治新政府で新しくつくられた官庁。長官は太政大臣。
それ以前にあった太政官、太政大臣と字は同じだが、読み方が違う。

写真嫌いの明治天皇

明治天皇は写真嫌いだったことで有名だ。明治天皇の肖像写真として残っているものは、若い時代に撮った束帯での姿と、洋装の軍服姿ぐらいしかない。明治天皇の姿としてよく知られているのは、明治時代に日本に来た画家、エドアルド・キヨッソーネによる肖像画だ。

もっと知りたい 最後の将軍・徳川慶喜

明治時代　明治天皇

　江戸幕府の15代将軍で、最後の将軍となった徳川慶喜。彼はいったいどのような人物だったのだろう？
　慶喜は御三家の1つ、水戸藩主・徳川斉昭の七男に生まれ、11歳の時、徳川家の分家である一橋家の養子となった。幼い頃から賢いと評判だった慶喜は、12代将軍・徳川家慶に見込まれ、将来の将軍候補として名前が挙げられる存在になった。1862（文久2）年、幼くして14代将軍となっていた徳川家茂の後見職（将軍の代わりに政治を行う役職）に任じられた慶喜は、ここから幕府の政治を担っていく。そして1866（慶応2）年、家茂の急死によって15代将軍に就任すると、慶喜は幕府の組織改革、軍事力の強化などを行っていった。しかし、もはや倒幕の流れは止められず大政奉還に至り、その後の新政府にも慶喜の居場所はなかった。31歳という若さで地位も領地も失い、政治の表舞台から去った慶喜は、77歳までの長い余生を静かに暮らした。その暮らしは、趣味の写真や絵画などに没頭するのんびりしたものだったという。

▲慶喜が描いた油絵「西洋雪景図」。慶喜は当時まだ珍しかった油絵にも取り組んだ

福井市立郷土歴史博物館提供

豆知識

　明治天皇は、最後の将軍となった徳川慶喜に申し訳ない気持ちをずっと持っていたようで、1898（明治31）年、明治になってから初めて慶喜と皇居で会い、酒を酌み交わした。この時、明治天皇は「慶喜の天下をとってしまった罪滅ぼしができた」と語ったという。

39 西郷隆盛

不平士族とともに滅んだ維新の英雄

活躍した時代：明治時代
生没年：1827〜1877年

軍服
明治政府の陸軍大将を務めた時の軍服。西郷のサーベルは外から見ればフランス式だが、刀身は日本刀だった。

時代の流れ

明治という新しい時代をつくったのは武士たちだった。しかし、明治政府は藩をなくし、武士そのものの存在もなくしてしまった。「士族」と呼ばれるようになった旧武士たちの不満は、政府への反乱として現れた。維新の立役者・西郷隆盛の故郷、鹿児島でも士族の怒りが爆発した。

西郷隆盛の人物像

　西郷隆盛は薩摩藩の下級武士の子に生まれ、18歳で藩の役人となった。やがて藩主・島津斉彬に引き立てられた西郷は、斉彬とともに江戸に出ると、斉彬の庭方役（秘書官）として政治や世界情勢などを学び、諸藩士の間でも名前を知られる存在となっていった。しかし西郷が31歳の時に斉彬が急死すると、後ろ盾を失って絶望し、自殺未遂事件を起こす。奄美大島に身を隠すも藩に呼び戻されると、今度は藩の指導者・島津久光と対立し、沖永良部島に流された。

　1864（元治1）年、許された西郷は上京して薩摩藩の指揮をとり、1866（慶応2）年、薩長連合を結んで倒幕運動を推し進め、江戸無血開城を実現するなど、その中心的な役割を果たした。明治政府では参議（政府の中心の役職）となり、岩倉使節団が欧米に出発した後の政府を預かって、学制や徴兵制、地租改正などを進めていった。しかし、1873（明治6）年、**征韓論**をめぐって大久保利通らと対立し、政府を去った。

　鹿児島に戻って**私学校**を開いた西郷のもとには、政府に不満を持つ士族（不平士族）たちが続々と集まり、1877（明治10）年、ついに彼らは反乱を起こす。この**西南戦争**で西郷は、不平士族に担がれる形で反乱軍を指揮したが、政府軍の前に力つき、鹿児島県の城山で自刃した。

🔑 キーワード

▶征韓論
当時、鎖国をしていた朝鮮に兵を送って開国させようという主張。士族の不満解消を狙ったものだったが、大久保らの反対で実現しなかった。

▶私学校
西郷らが1874（明治7）年に鹿児島に創設した学校。軍事訓練や士族の教育などを行ったが、結果的に不平士族たちの拠点にもなった。

▶西南戦争
不平士族が起こした政府への反乱で、明治時代最大で最後のもの。この戦争では、両軍合わせて1万数千人もの戦死者が出たという。

明治時代

西郷隆盛

人々から慕われた西郷

　西郷隆盛は身長180センチ、体重110キロ以上という巨漢で、大きな目が印象的だったという。当時、西郷と出会った人たち、例えば坂本竜馬、勝海舟、明治天皇など多くの人が彼の人柄に惹かれ、また士族や町人なども彼を慕った。西郷は口が達者なタイプではなかったが、謙虚で誠実、そして度量の大きい人物だった。

　明治政府の参議となった際、他の高官たちが贅沢をするのに対し、西郷は綿の服に草履履き、にぎり飯を持って徒歩で出勤するなど、質素な暮らしを続けていた。また、政府を去って故郷の鹿児島に戻った時も、自らくわをふるって畑を耕したり、銭湯で地元の子どもと背中を流し合ったりしたという。今でいえば大臣のような要職についていたのに、偉ぶらず、庶民の心を忘れなかった。

　そんな西郷に士族たちも期待を寄せた。政府が近代化を目指して急激に改革を進める中、「西郷なら自分たち（士族）をなんとかしてくれる」という思いがあった。西郷が政府を去った後、各地で士族たちの反乱（次のページも見よう）が起きたのは、士族の気持ちを理解する西郷がいなくなったことも大きな要因だっただろう。

▲西郷の私学校跡地の石塀（鹿児島市）

とても犬が好き！

　西郷は大の犬好きだった。自宅で10匹以上もの犬を飼い、卵を混ぜたご飯をやるのが日課で、犬の世話をする専門の人を雇い入れていた。洋服の人を見るとほえる犬は「攘夷家」と呼ぶなど、犬の特徴によってさまざまなニックネームをつけていたという。

士族の反乱と西南戦争

明治時代 西郷隆盛

　明治政府は改革の中で、士族たちの地位や特権などを廃止した。徴兵令によって軍務は奪われ、廃刀令で刀を持つことが禁止され、秩禄（給料）も廃止された。これらの政策は、当時、全国で189万人ともいわれる士族たちにとって受け入れがたいものだった。

　1874（明治7）年、佐賀県で不平士族らが「佐賀の乱」を起こすと、その後、熊本県で「神風連の乱」、福岡県で「秋月の乱」、山口県で「萩の乱」など、各地で不平士族の反乱が続発した。これらは政府に鎮圧されたが、国内は大きく動揺した。当時、鹿児島では、西郷がつくった私学校のメンバーたちが県政を動かし、明治政府の政策を無視していた。政府はこれを不平士族たちによる反政府運動として警戒。両者の対立は深まり、ついに西南戦争へと発展した。西郷自身は武力による反乱の意思はなかったが、不平士族たちの思いをくんで立ち上がった。8カ月の激戦の末、国内最大の不平士族の反乱・西南戦争は政府側の勝利で終わり、これ以降、不平士族の反乱はなくなった。

◀「鹿児島城激戦ノ図」。西南戦争で出陣する西郷を描いた錦絵
国立国会図書館

　西郷が亡くなると、異様なほどの光を放つ星が現れた。じつは火星の大接近（15年に1度ぐらい起こる）だったが、人々は「星の中に軍服を着た西郷さんが見えた」「あれは西郷星だ」などとうわさし、それを描いた錦絵が何種類も売られるほどの騒ぎとなった。

40 大久保利通

日本の近代化に尽くした大政治家

活躍した時代：明治時代
生没年：1830〜1878年

カイゼルひげ
両端が跳ね上がった八の字型の口ひげ。カイゼルは皇帝のことで、ドイツ皇帝・ウィルヘルム2世のひげの形からきた呼び名。

時代の流れ

明治政府が進める急激な近代化政策には反対者も多かった。しかし、将来を見据え、断固として近代化に努めた政治家が大久保利通だった。西洋諸国をまわり、近代国家の発展を目の当たりにした大久保は、日本の「富国強兵」を推し進めていく。

大久保利通の人物像

　大久保利通は薩摩藩の下級武士の子に生まれた。同じ町内には3歳年上の西郷隆盛がいて、2人は幼なじみとして過ごした。大久保は、藩主・島津忠義の父で、藩の実権を握っていた島津久光に用いられて頭角を現し、西郷とともに薩摩藩の中心的人物として倒幕運動を推し進めた。大久保は頭の切れるアイデアマンで、交渉術にもたけていた。1867（慶応3）年、大久保がはたらきかけ取り付けた**討幕の密勅**のように、明治維新は、大久保が描いたシナリオ通りに進んだといってもいいだろう。

　明治政府では、中心メンバーとして版籍奉還、廃藩置県などを行い、岩倉使節団の一員として西洋諸国をめぐった。帰国後、大久保は産業を推進する省庁・内務省をつくり、日本の**富国強兵**に努めた。また、外交面では**台湾出兵**を行って、清（中国）との間で、琉球（沖縄県）の帰属に関する外交問題を解決に導くなど、政府の実質的なリーダーとして活躍した。大久保は親友の西郷が政府を去った後、各地で起こった不平士族の反乱を徹底的に弾圧した。それは生まれ故郷の鹿児島に対しても同じだった。

　明治政府のリーダーとして数々の政策を断行していく中で、それに対する不満を一身に受けた大久保は、1878（明治11）年、東京の紀尾井坂で不平士族に襲撃され、命を落とした。

🔑 キーワード

▶討幕の密勅
朝廷から薩摩藩と長州藩に出された、「幕府を討て」という秘密の命令書。幕府が大政奉還をしたのも、この密勅が影響したといわれる。

▶富国強兵
明治政府が掲げたスローガン。経済を発展させて国を豊かにすること（富国）と、外国に負けない強い軍隊を持つこと（強兵）を指す。

▶台湾出兵
1874（明治7）年、日本が台湾に出兵した事件。この3年前、台湾に漂着した琉球の島民が殺害された事件がきっかけで、この後琉球は日本領とされた。

明治時代

大久保利通

大久保の国づくりプラン

　岩倉使節団の一員として欧米諸国を歴訪した大久保は、ドイツの宰相・ビスマルクの政治にヒントを得た。ヨーロッパの小国だったプロイセンが産業化を成し遂げて、ドイツ帝国にまで発展したことに、日本の将来を重ねて見たのだ。大久保は、内務卿（内務省の長官）として、殖産興業（生産を増やして産業を盛んにする）政策を推し進めた。

　大久保は、明治の国づくりを３期に分けて考えた（下の表も見よう）。「大久保政権」と呼ばれるほどの力を握り、政府のリーダーとして強力に近代化を進めた大久保は、「策謀家」「非情」「専制的」というイメージで語られることもある。時には裏から手を回すようなやり方を使い、親友の西郷までも死なせて、自分の思い通りに政策を実行していったからだ。しかし、大久保を動かしたのは、純粋に国を思う強い信念だった。賄賂は一切受け取らず、私財をなげうち個人で借金までして国費にあてた。

　そんな、大久保だったが、彼のいう「建設の時代」が始まったばかりの時に、無念の死を遂げた。

大久保利通の国づくりプラン

大久保は明治の国づくりを、3期に分けて考えていた。

- 第1期 明治初年から最初の10年は、国の方針を定める　「創業の時代」
- 第2期（次の10年）は、政治を整えて産業を盛んにする　「建設の時代」
- 第3期（その後の10年）は、次世代の政治家たちに任せる　「発展の時代」

大久保の威厳

大久保はあまりむだ口をたたかない静かな人で、威厳があったと、大久保を知る多くの人が語っている。内務省に出勤し、階段を上ってくる大久保の足音が聞こえただけで、内務省の役人たちは緊張して気持ちを引き締めたという。

もっと知りたい 明治日本の近代化！

明治時代 大久保利通

明治政府は「富国強兵」をスローガンに「殖産興業」を進め、日本の近代化を進めた。明治時代に始まったもので、現在まで続くものは数多い。ここでは、明治時代の近代化の動きを見てみよう。

郵便事業の開始　1871（明治4）年
東京・京都・大阪の3都市と、それを結ぶ東海道で郵便事業が始まった。その後、全国にポストが設置され、一定の料金などが定められた。

学校の設置　1872（明治5）年
義務教育化を目指し、「学制」が出された。これにより全国に小学校などが建てられていった。

軍隊の設置　1872（明治5）年
政府直属の軍隊「親兵」を編成。翌年には「徴兵令」も出された。

警察の設置　1874（明治7）年
1871（明治4）年に町の取り締まりに「邏卒（パトロールマン）」が設置され、この年、全国の警察を統括する東京警視庁が設置された。

鉄道の開業　1872（明治5）年
新橋―横浜間に日本初の鉄道が正式に開業。徒歩では約10時間かかっていたものが、53分で到着した。

銀行の設置　1872（明治5）年
「国立銀行条例」によって全国に銀行がつくられた。国立銀行といっても国営の銀行ではなく、この条例を基につくられた民間の銀行のことを指す。

官営模範工場の創業
1872（明治5）年（富岡製糸場）
日本の産業を強くするため、輸出の拡大などを目指し、各地に大規模な官営工場をつくって民間の手本とした。群馬県の富岡製糸場がその代表例。

私、大久保が中心となって近代化を進めたのだ

豆知識

政治家として忙しく動き回る大久保には、あまり子どもたちと一緒に過ごす時間はなかった。しかし、毎週土曜日は家族で一緒に夕食をとると決めていて、大久保にとっては家族のだんらんが一番の楽しみだった。ちなみに、自民党の政治家・麻生太郎は大久保の子孫にあたる。

179

41

『学問のすゝめ』などで文明開化を促進

福沢諭吉

活躍した時代：明治時代
生没年：1834～1901年

ペン

諭吉が創立した慶応義塾のペンを2本重ねたマークは、「ペンは剣よりも強し」（言論は武力よりも人々に訴える力があるという意味）という言葉から考案された。

時代の流れ

　明治時代、日本は西洋の文化を広く取り入れていった。街には鉄道が走り、ガス灯の灯りがともり、人々の生活スタイルは急ピッチで西洋化されていった。これを「文明開化」と呼ぶ。『西洋事情』などの書物を書いて人々に西洋の知識を広める役割を担った1人が福沢諭吉である。

明治時代　福沢諭吉

福沢諭吉の人物像

　福沢諭吉は中津藩（大分県）の下級武士の子として、大坂で生まれた。少年時代は中津に戻って過ごし、その後、長崎や大坂で蘭学を学んだ。

　1858（安政5）年、諭吉は江戸の中津藩邸内に蘭学塾を開き、蘭学を教えながら、自分は英語の勉強に励んだ。2年後、幕府の使節団の通訳として、咸臨丸でアメリカに渡った諭吉は、その後さらにヨーロッパへの使節団にも参加するなど、合計3度欧米を旅した。

　それらの旅で西洋諸国の様子をつぶさに見学し、日本よりはるかに進んだ近代文明を目の当たりにした諭吉は、帰国後、海外で得た経験をさまざまな本に著して出版すると、**文明開化**が進む中で人々の大反響を呼んだ。なかでも、西洋諸国の様子を紹介した『西洋事情』は、無断で複製されたニセモノも発売されるほどの人気で、合わせて約25万部を売り上げた。また、学問の大切さを説いた**『学問のすゝめ』**は340万部を売る大ベストセラーとなった。諭吉は明治政府からの度重なる仕官の要請を拒み、近代的な学校として開いた**慶応義塾**で、人々に学問を教えることを選んだ。その後、諭吉は日刊新聞「時事新報」を創刊するなど、言論の場でも活躍していった。諭吉が欧米から学んだ「自由と平等」という精神は、日本の近代化に大きな役割を果たしていった。

🔑 キーワード

▶文明開化
明治初期、日本が西洋の文物を積極的に取り入れ、髪型や服装、食生活などの生活様式や考え方が大きく変化した現象を指す。

▶『学問のすゝめ』
「天は人の上に人を造らず、人の下に人を造らずといえり」という有名な言葉で始まる諭吉の代表作。1872（明治5）年に初編が出版された。

▶慶応義塾
1868（慶応4）年、諭吉は中津藩邸内にあった蘭学塾を、芝新銀座（東京都港区）に移し、当時の年号をとって慶応義塾とした。

門閥制度は親のかたき！

　江戸時代は、その家の地位や格付け、家柄で区別された身分制度「門閥制度」に縛られた窮屈な時代で、低い身分に生まれた者は、どんなに才能があったとしても、どれだけ努力しても出世することは難しかった。諭吉はこのような「門閥制度」をとても嫌っていた。諭吉の父も、身分制度のしがらみで大好きな学問の道をあきらめたという経験があり、後に諭吉は「門閥制度は親のかたき」とまで言っている。

　そんな諭吉に大きな衝撃を与えたのは、アメリカでの経験だった。咸臨丸でアメリカ西海岸のサンフランシスコに到着した諭吉は、現地を案内してくれたアメリカ人に、「アメリカ初代大統領のワシントンの子孫はどうしているのか？」と、たずねた。すると、その人は「ワシントンの子孫のことはよく知らない」と答えたという。その答えに諭吉はたいへん驚いた。初代大統領といえば、江戸幕府を開いた徳川家康のようなもの。日本では徳川家の子孫がずっと将軍家を継いできた。日本では偉い者の子は偉くなるのが当然だが、アメリカはそうではなく、出世するもしないも自分の能力次第だと知った。これこそまさに、諭吉が求めていた考え方だったのだ。

▲『学問のすゝめ』（原本）。現在、英語やフランス語、中国語など、いろいろな国の言葉に翻訳されている

（公財）福澤旧邸保存会

> **神様は信じない！**
>
> 　諭吉は少年時代、神様の罰が当たることはあるのかと、神様の名が書かれたお札を踏んだり、便所で使ってみたりした。また、お稲荷様の社を開けて、中にあったご神体の石を別の石とすり替えてみたりもした。それでも罰は当たらず、諭吉は神様を信じることをやめたという。

もっと知りたい

文明開化の嵐が到来！

明治初期、日本に文明開化の嵐が到来した。街には洋風建築が増え、東京・銀座にはレンガ造りの街が出現。人力車や洋服、帽子、牛肉食など、日本人の生活スタイルは猛スピードで変わっていった。

明治時代　福沢諭吉

日本洋食ことはじめ

文明開化の香り！
カレーライス

1872（明治5）年、カレーの作り方を紹介した本が出版されると、たちまち日本中に広まった。「文明開化の香りがする」と評判になったカレーだが、当時のレシピには、鶏肉やエビの他、赤ガエルの肉も入っていた。

宮中から庶民へ！
牛鍋

1872（明治5）年、宮中で牛肉が食べられるようになると、それを機に庶民も牛肉を食べるようになり、牛鍋は開花鍋とも呼ばれて大ブレークした。

西洋＋日本の味！
あんパン

1874（明治7）年、東京銀座の木村屋（現在の木村屋総本店）で、西洋のパンと日本のあんこを合体させたあんパンが登場。翌年には明治天皇にも献上された。

漢字で読める？
チョコレート

1877（明治10）年、東京の米津風月堂（現在の東京風月堂）で、日本で初めてのチョコレートが加工製造された。当時、チョコレートの当て字として、「貯古齢糖」「知古辣他」「千代古齢糖」などの漢字が使われていた。

郵便制度が始まった明治時代、その仕組みをよく理解していない人もいた。「郵便箱」と書かれた文字を、「垂便箱」と読んで公衆便所と間違えて、手紙を入れる口から中に小便をしてしまい、おまわりさんに怒られた人もいたそうだ。

42 日本初の政党内閣を誕生させた
大隈重信

活躍した時代：明治時代
生没年：1838〜1922年

蝶ネクタイ
蝶の形のネクタイでボウタイとも呼ぶ。1884（明治17）年、帽子商の小山梅吉がはじめて国産の蝶ネクタイをつくったといわれる。

時代の流れ

明治政府で大きな発言力を持ったのは、倒幕運動で中心となった薩摩・長州・土佐・肥前（佐賀県）の4藩の出身者たちで、彼らが政治を独占する状態となった。このような状態に反対し、政党による政治を目指したのが大隈重信だった。

大隈重信の人物像

明治時代 / 大隈重信

　大隈重信は、肥前佐賀藩の上級藩士の家に生まれた。朱子学・蘭学・国学などを学んだ大隈は、佐賀藩の役人として長崎に赴き、そこで塾を営んでいたアメリカ人宣教師のフルベッキのもとで英学（英語による学問）を学んだ。幕末の動乱期には、幕府の15代将軍・徳川慶喜に大政奉還を進言しようと、藩を抜け出して京都へ赴いたが、慶喜には会えず、佐賀に連れ戻された。佐賀藩は薩摩藩や長州藩などとともに倒幕運動を進め、新政府ができると、大隈もそこに参加することになった。

　明治政府で大隈は、電信の開設、鉄道の敷設、通貨政策などに力を注ぎ、1873（明治6）年には大蔵卿（大蔵省の長官）となって、政府の財政政策を担っていった。しかし、1881（明治14）年、憲法の制定をめぐり伊藤博文（192ページ）らと対立。**藩閥政治**に反対して政府を去り、翌年、**立憲改進党**を結成。また、将来を担う若手を育成するため東京専門学校（現在の早稲田大学）も設立した。やがて政府に復帰した大隈は、外務大臣などを務めた後の1898（明治31）年、板垣退助（188ページ）らと憲政党を結成し、大隈を首相、板垣を内務大臣に置いて、日本初の**政党内閣**となる隈板内閣を誕生させた。大隈はこの後、大正時代にも首相を務めるなど、庶民から人気の政治家であった。

🔑 キーワード

▶藩閥政治
明治政府内で、薩摩・長州・土佐・肥前の4藩、とくに薩長両藩の出身者が権力を独占した政治形態のことをいい、反対派がこう呼んだ。

▶立憲改進党
1882（明治15）年、大隈が中心となって結成した政党。徐々に政治を変えていこうという、都市の知識人など比較的穏健な人々の支持を得た。

▶政党内閣
政党を基礎に組織された内閣のこと。隈板内閣は、大隈と板垣の1文字ずつからとった呼び名だが、これ以前は政党が政権を担ったことはなかった。

足を失っても笑い飛ばす！

　明治時代、日本が解決しなければならない課題に、幕末に結ばれた不平等条約の改正という問題があった（196、204ページ）。政府は歴代の外務大臣を中心に条約改正に取り組んだが、うまく進まずにいた。

　1888（明治21）年、外務大臣に就任した大隈もこの条約改正に立ち向かった。大隈は、それまでは諸外国と同時に条約改正の交渉をしていたことを改め、各国と個別に交渉を進め、まずはメキシコと日墨修好通商条約を結ぶことに成功した。これは、日本が初めて、アジアを除く外国との間に結んだ対等の条約となった。その後、他の西洋諸国とも交渉を進めていったが、イギリスとの交渉の際、大審院（今の最高裁判所）に限り外国人裁判官を認めることを条件として、条約改正を行おうとしたことに非難がまきおこった。そして、大隈は反対派から爆弾を投げつけられ、右足を切断する重傷を負った。この事件で内閣は総辞職し、大隈も外務大臣を辞職。条約改正の問題は後の時代に引き継がれることになった。テロにより右足を失った大隈だが、「これで頭のほうに血がいくから、血のめぐりがよくなるだろう」と笑い飛ばし、その後も政治家として活躍した。

▲早稲田大学校内にある「大隈記念講堂」。大隈が唱えた人間の寿命125歳説にちなんで、塔の高さは125尺（約38メートル）に設計されたという

125歳まで生きる！

　大隈は、人間は125歳まで生きられると主張した。一般的に動物は成長期の5倍は生きられるといい、人間の成長期が25歳ぐらいまでだとすると、その5倍の125歳までは生きられるというのだ。大隈自身、年をとっても元気で2度目の首相になったのは77歳の時だった。

もっと知りたい 明治時代に発達した政党

明治時代 大隈重信

「政党」は、政策や主張によって結びついた政治家の集団のこと。現在の日本は政党による政治（政党政治）が発達しているが、明治時代はまだ発展途上で、強力なリーダーシップを持つ薩長の出身者によって政治が独占された。明治初期には、新しい国づくりのため、てきぱきと少人数で政策を決定していく必要もあったが、時が経っても、いつまでも薩長出身者による政治の独占が行われるのはおかしい。こうした考えから政党は生まれ、とくに板垣退助の自由党、大隈重信の立憲改進党が人々の支持を獲得した。しかし両党は、支持する人々も考え方も違い、協力して政府に立ち向かうことなく対立し、やがて力を失っていく。その後、政党はいくつか形を変えながら、板垣と大隈の憲政党や、伊藤博文の立憲政友会などにまとまっていった。

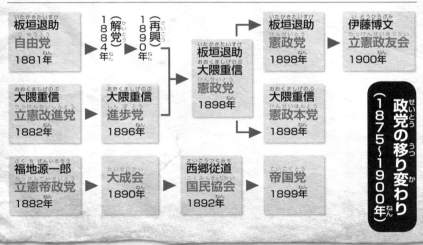

政党の移り変わり（1875～1900年）

豆知識　1908（明治41）年、アメリカから来日したプロ野球チーム「リーチ・オール・アメリカン」と、早稲田大学野球部による親善試合が行われた。この時、大隈重信が始球式を行ったが、これが日本初の始球式だったといわれている。

43

自由民権運動を主導した政治家

板垣退助

活躍した時代：明治時代
生没年：1837～1919年

インバネス

袖のない男性用のコート。明治初期に日本に入った後、改良されて、和服用の防寒具として流行した。

時代の流れ

　明治政府の藩閥政治に対し、一部の人が政治を行うのではなく、広く人々も政治に参加できるようにすべきだという考え方が生まれた。こうした考え方は、国会の開設などを求める「自由民権運動」として全国に広がっていった。この運動を主導したのが板垣退助だ。

板垣退助の人物像

　板垣退助は、土佐藩の上士（上級の藩士）の家に生まれた。幼い頃から兵法書を読み、青年時代には竹内流小具足術（日本古来の格闘術）を習い、争いごとには真っ先に駆けつけるケンカっぱやい青年だった。成長した板垣は、武力倒幕を目指して活動を開始。戊辰戦争では新政府軍の指揮官として、甲州勝沼（山梨県）、宇都宮（栃木県）、会津（福島県）などで戦い、旧幕府側の部隊を次々と打ち破った。

　板垣は明治政府で参議となったが、1873（明治6）年、征韓論をめぐる政府内の対立で政府を去った。そして藩閥政治に反対していく。板垣は翌年、同様に政府を去った後藤象二郎らと**民撰議院設立建白書**を提出し、政府に対して「民衆から議員を選び、国会を開こう」と提案した。この呼びかけをきっかけに、**自由民権運動**は全国的に広がり、やがて政府は国会の開設を約束した（191ページ）。

　1881（明治14）年、板垣は日本で最初の本格的な政党・**自由党**を結成し、全国を遊説して回り、各地で熱狂的に迎えられた。板垣が主導した自由民権運動は、憲法の制定と国会の開設という一定の成果を生んだのである。1898（明治31）年、板垣は大隈重信との隈板内閣で内務大臣を務めた後、しばらくして政界を引退。晩年は慈善事業に積極的に取り組んだ。

キーワード

▶**民撰議院設立建白書**
板垣らが結成した愛国公党が政府に選挙による議会の開設を提案したもの。「国家に税金を納める者は、政府に意見を言う権利や政治に参加する権利がある」と主張した。

▶**自由民権運動**
明治時代前半、憲法の制定や国会を開設することなどを求め、全国的に広がっていった運動。士族や農民たちに熱狂的な支持を受けた。

▶**自由党**
板垣を総理（党首）として結成された政党。東京に本部、全国に支部をもうけて遊説を行い、機関誌の「自由新聞」で自由民権の考え方を広めた。

板垣死すとも自由は死せず！

　板垣退助といえば「板垣死すとも自由は死せず」の名文句で有名だ。1882（明治15）年、板垣が自由党総理として岐阜で演説を行った時、暴漢の相原尚褧に襲われて、傷を受けながら叫んだものとされている。これは「自由民権運動」に力を注ぐ板垣ならではの言葉として、広く民衆に伝わり、板垣の人気を不動のものとした名文句である。

　ところが、この名文句は板垣自身が発したものではないとの証言がある。その一方で、板垣自身が似たような言葉を発していたという警察の記録も残っている。誰の言葉であったのか定かではないが、この名文句により、「自由」という言葉が全国に広まって、民衆の間で自由ブームが巻き起こり、自由民権運動は加速していった。

　ちなみに板垣を襲った相原は、刑務所から出所した後、板垣のもとに謝りにきた。板垣は「国を思っての気持ちだったのだろうから、とがめはしない」と彼を許したという。その後、相原は北海道に向かったが、その船上で行方不明となった。船から転落したのか、自殺か他殺か、真相はわかっていない。

【相原を取り押さえた自由党員 内藤魯一の証言】

あれは自分が言ったのだが総理（板垣）が言ったことにしておいたほうが光るでしょう！

▲板垣の名文句に関して、このように証言した人もいた

貧乏だった晩年

　板垣は、政治家にしては珍しいほど私欲のない人物だった。自分の私財をなげうって自由民権運動に打ち込んだ結果、晩年には金がなくなり貧乏暮らし。料金が払えずに自宅の電話機を取り外されることも度々あったという。82歳で没したが、葬儀もわびしいものだった。

もっと知りたい

自由民権運動の広がり

明治時代

板垣退助

　板垣らが提出した「民撰議院設立建白書」をきっかけに、自由民権運動は全国に広がっていった。明治政府は必ずしも「自由民権」という考え方を否定していたわけではなく、政府の主導によって、十分な時間をかけ、憲法の制定や国会開設の準備をしようと考えていたのだが、「藩閥政治を行う政府は倒せ！」というような過激な主張は無視できず、これを弾圧しにかかった。しかし、政府が弾圧すればするほど、運動は激しさを増していった。

　1881（明治14）年、ついに政府は「国会開設の勅諭」を出し、1890（明治23）年に国会を開設することを約束した。これを受けて板垣が自由党、大隈が立憲改進党を結成すると、人々から熱狂的な支持を受けた。

　この盛り上がりを見た政府は、政党勢力の拡大を恐れ、反政府的な活動をさらに厳しく取り締まった。政府の弾圧は各地で反発を呼び、生活に苦しむ農民たちと結びついて、暴動となって現れた（激化事件）。このような問題を抱えながらも、自由民権運動は、後の「大日本帝国憲法」の発布（195ページ）や「帝国議会」の開催につながる役割を果たした。

▶政府の弾圧を表現した風刺画
ビゴー画

豆知識

　日本人の心の歌といえば「演歌」だろう。じつはこの「演歌」は、自由民権運動によって生まれたものだ。「演歌」は、もともとは「演説歌」といわれていた。当時、政治に対する意見や批判などを歌にしたことが始まりだったのだ。

44 伊藤博文(いとうひろぶみ)

農民から初代内閣総理大臣となり憲法を定めた

活躍した時代：明治時代
生没年：1841〜1909年

大礼服(たいれいふく)
宮中やその他の重要な儀式で用いられた最高の礼服。1872(明治5)年に初めて大礼服の着用が定められた。

時代の流れ
明治時代、「西洋諸国に追いつけ」とあらゆる面で近代化を進めてきた日本だが、彼らから対等な国として認められるためには、西洋では当然の「憲法の制定」が必要だった。伊藤博文は初代内閣総理大臣として、憲法の制定に取り組んだ。

明治時代

伊藤博文

伊藤博文の人物像

　伊藤博文は長州藩の農家の子に生まれたが、父が下級武士の養子に迎えられたことで武士の身分となった。長州の志士たちを多く輩出した松下村塾で学び、木戸孝允らとともに倒幕運動に突き進んだ。

　幕府を倒した後、新しい国家づくりのビジョンを持って新政府を率いたのは薩摩の大久保利通だった。伊藤は長州と薩摩という垣根を越えて大久保に近づいた。伊藤も幕末に密かにイギリス留学したことがあり、早くから西洋の文明や政治に追いつく道を考えていたからだ。大久保が暗殺された後、政府の中心人物となった伊藤は、憲法の制定という国家的課題に取り組んでいった。1882（明治15）年、伊藤はヨーロッパに渡り、各国の憲法調査を行った。帰国後、**内閣制度**を創設して初代内閣総理大臣となった伊藤は、憲法の草案（原案）づくりに取りかかり、やがてドイツを見本とした**立憲君主制**を定めた憲法をつくった。1889（明治22）年、明治天皇によって発布された「大日本帝国憲法」は、東アジアの国々では初めての憲法であった。また、憲法に基づいて、翌年には衆議院議員総選挙が行われ、帝国議会が開かれた。伊藤は4度の総理大臣を務めるなど、明治時代の日本を引っ張っていったが、1909（明治42）年、満州（中国東北部）視察に赴いた際、ハルビンで**暗殺**された。

キーワード

▶内閣制度
内閣総理大臣や、内務、外務、大蔵、文部、陸軍、海軍などの各大臣が、行政の最高機関としての内閣を組織する制度。1885（明治18）年に制定。

▶立憲君主制
国家を統治する最高位の君主（天皇）がいるが、君主が憲法に規制を受ける統治体制。一方、君主が思い通りに政治をする国は「絶対君主制」という。

▶伊藤博文暗殺
日清・日露戦争後、日本は実質的に韓国を支配し、伊藤が初代韓国統監に就任した。職を退いた後の満州視察で、韓国人の安重根に暗殺された。

総理の座を射止めた英語力

　伊藤博文が初代総理大臣に選ばれる決め手のひとつとなったのは、英語力だった。総理大臣の選考会議で、伊藤の盟友でもあった井上馨が、「これからの総理は外国からの電報が読めなくてはだめだ」といったことから、英語が得意だった伊藤が選ばれたという。もちろん、幕末から維新にかけて活躍した実力者の1人であったことも理由である。

　若い時のイギリス留学の経験が、伊藤の英語力に役立ったことは間違いない。攘夷思想に燃えた伊藤は、井上馨ら長州の若者4人とイギリスに密航した。当時は幕府の許可がなくては外国へ渡ることが許されない時代で、見つかれば死罪であったが、まずは相手を見なければ、攘夷はできないと考えたすえの行動だった。しかし、イギリスに渡った伊藤らは、進んだ西洋文化を目にして、攘夷は無謀だと考えを改めた。彼らはイギリスの新聞にも取り上げられ、「Choshu Five（長州の5人）」と呼ばれた。

　このような若い時の経験などを自分の糧として、もともと農民の子が総理大臣にまでなった出世ぶりは、戦国時代、足軽から天下人にまでのぼりつめた太閤・豊臣秀吉の出世ぶりに例えられ、伊藤は「今太閤」とも呼ばれた。

▲「枢密院会議之図」楊洲周延画。「枢密院」という機関で憲法の草案は審議された

国立国会図書館

憲法が盗まれた？

　伊藤は憲法の草案づくりを、井上毅、伊東巳代治、金子堅太郎の3人とともに神奈川県の旅館で行っていたが、草案の入ったカバンが盗まれて騒然となった。カバンはすぐに見つかったが、これに懲りた伊藤らは、海を隔てた島にある伊藤の別荘に移り、草案づくりを続けた。

もっと知りたい 大日本帝国憲法ってどんな憲法？

明治時代　伊藤博文

「大日本帝国憲法」は、一言でいうと天皇や政府の力が強い憲法だ。軍隊の指揮権（統帥権）、役人の人事権、衆議院の解散権などは天皇に与えられ、議会や内閣の許可を得なくても行えると定められていた。

とはいえ、この憲法がまったく民主的でなかったかというと、そうでもない。制限はあるものの、言論、集会、信教の自由など、国民の権利についてしっかり明記され、議会によって国民が政治に参加することも定められていた。政府と対立していた自由民権派も、発表された憲法が意外に民主的な内容であったことに安心し、おおむね評価していた。

逆に当時としては民主的すぎて、外国人の中には、国民に自由と権利を与えすぎているという批判まであったほどだ。

大日本帝国憲法と日本国憲法の違い

「大日本帝国憲法」は、当時としては民主的なものだったが、現在の「日本国憲法」と比べると、まだまだ国民の権利は限られていた。国民は「臣民（天皇に支配される人民）」と呼ばれ、権利や自由は限定的だった。また、軍隊は天皇の直属で、政府や議会が口出しできないようになっていた。このことが、後に軍隊が天皇の名の下に戦争へと突き進む要因にもなった。

大日本帝国憲法 1889年2月11日公布		日本国憲法 1946年11月3日公布
天皇	主権	国民
君主にして国家を統治する者。神聖な存在	天皇	日本国や国民の統合の象徴。政治上の権力はない
天皇が直接率いる。臣民に兵役の義務がある	軍隊	軍隊を持たず、戦争を放棄する
法律の範囲内において認める	国民の権利	すべての人が生まれながらに、いかなるものにも侵害されない権利を持つ

豆知識　ランドセルは、もともと軍隊式の四角いリュックサック（オランダ語でランセル）のことを指した。ランドセルが今のような形になったのは、伊藤博文が当時の皇太子（後の大正天皇）の入学祝いに、この軍隊式のリュックサックを革でつくって贈ったのが最初だった。

45 陸奥宗光

条約改正に取り組んだ外務大臣

活躍した時代：明治時代
生没年：1844〜1897年

フロックコート
丈が膝まである西洋の一般的なコート。日本では、明治時代から大正時代にかけて、男性の礼装として用いられた。

時代の流れ

　日本は幕末に西洋諸国と条約を結んだが、相手国に領事裁判権を認める一方で関税自主権を持たない不平等なもので、その改正は明治政府の大きな課題であった。明治時代も後期に入り、外務大臣となった陸奥宗光は、条約改正で大きな仕事を成し遂げる。

陸奥宗光の人物像

明治時代　陸奥宗光

　陸奥宗光は紀州藩（和歌山県）の武士の子に生まれた。15歳の時に江戸に出た陸奥は、その後、長州や土佐などの志士たち、なかでも坂本龍馬と親交を深め、神戸海軍操練所、亀山社中、海援隊と行動をともにした。龍馬は陸奥を高く評価し、「二本差さなくても（武士をやめてもという意味）食っていけるのは、オレと陸奥だけだ」というほどだった。

　倒幕後は兵庫県知事、神奈川県知事、大蔵省の役人などを歴任したが、1877（明治10）年に西郷隆盛らが起こした西南戦争の際に反政府側に加担したとして、翌年、禁固刑を受けた。

　刑務所を出た陸奥は、イギリスなどヨーロッパへ留学し、やがて政府に復帰する。アメリカで駐米公使などを務めた後、1892（明治25）年、伊藤博文内閣の外務大臣に就任し、陸奥は日本の悲願である条約改正に挑んでいく。そして1894（明治27）年、**日清戦争**が起こる直前、イギリスとの間に領事裁判権を撤廃した**日英通商航海条約**を結んだ。その後、アメリカなど14カ国と同様の条約を結び、領事裁判権の完全撤廃を成し遂げた。陸奥は仕事のできる切れ者ぶりから、「カミソリ陸奥」と呼ばれたが、日清戦争の講和条約・**下関条約**の全権を務めた2年後、54歳の若さでこの世を去った。

キーワード

▶日清戦争
1894（明治27）年8月から翌年にかけて、日本と清（中国）との間で、朝鮮の支配権をめぐって行われた戦争。日本の勝利で終わった。

▶日英通商航海条約
この条約をきっかけに、各国との間で領事裁判権は撤廃された。しかし、日本のもう1つの課題であった関税自主権の完全回復までは至らなかった。

▶下関条約
1895（明治28）年に調印された日清戦争の講和条約。清は日本に対し、朝鮮の独立、賠償金の支払い、遼東半島や台湾の割譲などを認めた。

197

国民が激怒！ノルマントン号事件

　日本が諸外国に対して、「領事裁判権」を認めていたことの不利を痛感した事件があった。1886（明治19）年、紀伊半島沖でイギリスの貨物船・ノルマントン号が沈没した。この時、船に乗っていた西洋人は全員無事にボートで脱出したが、日本人乗客25人は救助されず、全員死亡した。

　その後、神戸英国領事館で裁判が行われると、日本人乗客を見殺しにしたイギリス人船長は無罪となった。この判決に国民は激怒し、再び裁判が行われたが、新たな判決はわずか禁固3カ月というものだった。領事裁判権によって日本人に不利な判決が下されたことは、不平等条約の理不尽さを日本中に知らしめた。

　陸奥は不平等条約の改正に挑むにあたり、まず始めにイギリスと交渉した。当時、条約改正にもっとも反対していたのがイギリスで、イギリスと条約改正ができれば、他国はそれに同調すると考えたのだ。また、この頃の国際情勢を見越しての判断でもあった。イギリスは東アジアに勢力を伸ばそうとするロシアを警戒し、日本と手を結ぼうとしていたのだ。こうして、日英通商航海条約は締結されたが、残る関税自主権の回復は、後の小村寿太郎（204ページ）に引き継がれることになる。

「学」があったってうまく使えなきゃ意味ねえさ！

政治ってのはたくみな「術」が必要なのさ！

陸奥の回顧録『蹇々録』から

刑務所での猛勉強！

　陸奥は西南戦争の後に禁固刑となった際、刑務所で政治学の猛勉強をした。藩閥政治に反対する陸奥は、出所後は自由民権派の運動に加わるものと思われていたが、それを断ってヨーロッパに留学した。自由民権運動より、政治の現場への復帰を第一と考えたのだ。

「眠れる獅子」と呼ばれた清

明治時代、東アジアに進出する欧米列強に脅威を感じていた日本は、なかでも満州（中国東北部）へ勢力を伸ばそうとするロシアに大きな危機感を持っていた。そこで、日本は朝鮮を強引に開国させて勢力下に治め、ロシアに対する防衛線にしようとした。しかし、朝鮮を属国と考えていた清（中国）がこれに納得せず、朝鮮の支配権をめぐって日本と対立した。1894（明治27）年、朝鮮で起こった内乱（甲午農民戦争）をきっかけに日本と清は開戦し、日清戦争が始まった。この戦争でアジアの大国・清が、東アジアの小国・日本に敗北したことによって、「眠れる獅子」と恐れられていた清の弱体化が世界に明らかになると、欧米列強は我先にと、清への進出に乗り出した。清から巨額の賠償金と、遼東半島・台湾などを得た日本だったが、日本の勢いを警戒したロシアは、フランス、ドイツとともに軍事力を背景に日本に圧力をかけ、遼東半島の返還を迫った（三国干渉）。当時の国力ではこの3国にかなわないと判断した日本は遼東半島の返還に応じた。しかし国内ではロシアに対する反発が強まり、「臥薪嘗胆」（今の苦境を耐えて将来に備えること）が合言葉となった。

明治時代

陸奥宗光

▲日清戦争後に日本が得た領土

三国干渉の際、陸奥はイギリスとアメリカなどの力を借りて、これをはねのけようとした。結局うまくいかず、遼東半島は返すことになったが、ただで返すわけにはいかないと、当時の日本の国家予算の半分以上にあたる4700万円と引き換えにした。

日露戦争を勝利に導いた海軍の名将

46 東郷平八郎

活躍した時代：明治時代
生没年：1847〜1934年

双眼鏡

ドイツのカールツァイス社製の双眼鏡。10倍と5倍に倍率を変えることができ、当時の海軍軍人に大人気だった。

時代の流れ

　日清戦争に勝利するも、日本の勢いを警戒したロシアなどによる三国干渉で、日本は遼東半島を返還せざるをえなかった。その後、満州や朝鮮の支配をめぐってロシアと交渉を続けたが、行き詰まり、日露戦争が始まった。この戦いを勝利に導いたのが東郷平八郎だった。

東郷平八郎の人物像

東郷平八郎は薩摩藩の武士の家に生まれ、17歳の時、イギリスと薩摩藩とが戦った**薩英戦争**に参加した後、薩摩藩の海軍に入って戊辰戦争にも従軍した。明治に入ると、東郷は鉄道技師を志してイギリス留学を希望し、同郷の大先輩だった西郷隆盛を頼った。西郷に、「海軍の軍人を目指すなら」という条件を出された東郷は、それを受け入れてイギリスに渡った。

イギリスの商船学校で学んだ7年間の留学生活は孤独で、これをきっかけに東郷は無口な性格に変わったという。しかし、この時に学んだ国際法や航海技術が海軍軍人としての土台となった。帰国後の東郷は海軍で順調に出世し、日清戦争では大佐として軍艦「浪速」を指揮し、活躍した。

1903（明治36）年、東郷は海軍の中心部隊である連合艦隊の司令長官に就任。翌年から始まった**日露戦争**では、海軍全般の作戦を指揮することになった。戦争も佳境となった1905（明治38）年、東郷は旗艦「三笠」に乗り込み、世界最強といわれたロシアのバルチック艦隊を破り、日本の勝利を決定づけた（**日本海海戦**）。この勝利によって、東郷は国民的英雄となった。日露戦争後、元帥を経て皇太子（後の昭和天皇）の教育係などを務めた東郷は国民的英雄であり続け、とくに昭和に入ってからは神様のように崇拝された。死後、東郷神社も建立された。

キーワード

▶薩英戦争

1863（文久3）年、前年の薩摩藩士によるイギリス人殺傷事件（生麦事件）を受け、イギリス艦隊が薩摩藩に攻め込んで起きた戦争。

▶日露戦争

1904～1905（明治37～38）年、日本とロシアの間で起きた戦争。当時のアメリカ大統領・セオドア・ローズベルトの仲介で、講和が成立した。

▶日本海海戦

1905（明治38）年5月、日本海の対馬沖で、日本の連合艦隊とロシアのバルチック艦隊が激突した戦い。この戦いに敗れたロシアは、講和に向けて動き出した。

勝利の裏のギリギリの判断

　日露戦争で日本は、ロシアのウラジオ艦隊と旅順艦隊という2つの部隊を破り、戦争を優位に進めていた。それに対してロシアは、ヨーロッパにいた最大の主力であるバルチック艦隊を日本戦用にウラジオストクへ差し向けた。じつはこの時、日本は優位だったとはいえ、たくさんの戦費を使い、戦死者も多く、戦争を続けていく体力がなくなりつつあった。一方のロシアはバルチック艦隊をはじめ、ヨーロッパ方面に多くの兵士がおり、それらを動員すればまだまだ反撃できると考えていた。

　日本にとってバルチック艦隊は脅威で、もしそれに敗れるようなことがあれば、戦争の行方は分からなかった。東郷は、バルチック艦隊がウラジオストクに向かっていることを知ると、これを対馬海峡で待ち構えることにした。しかし、じつは敵が対馬海峡と津軽海峡のどちらを通るかは定かでなかった。なかなか敵が姿を現さず、参謀たちの意見も分かれる中、東郷はいったん津軽海峡行きに傾くが、議論のすえ、あと1日対馬海峡で待つと決断する。そして、まさにその最後の日に、バルチック艦隊が現れたのだ。東郷の「あと1日対馬で待つ」という判断がなければ、日本海海戦自体が行われず、戦争はもっと長引いたかもしれない。

東郷は「運が強い」！

　東郷を連合艦隊の司令長官に抜擢したのは、同じ鹿児島県出身で東郷より5歳年下の海軍大臣・山本権兵衛だった。抜擢の理由を明治天皇から問われた山本は、「東郷は運の強い男ですから」と答えたというが、その通りの強運を発揮し、バルチック艦隊に勝利したのだ。

もっと知りたい　日露戦争をめぐる世界情勢

明治時代

東郷平八郎

　日露戦争の背景には、世界各国の対立関係があった。日清戦争後、ロシアはフランス、ドイツと手を組んで日本に圧力をかけた（三国干渉）。一方、イギリスはバルカン半島などをめぐってロシアと対立し、日本と日英同盟（205ページ）を結んだ。アメリカも満州（中国東北部）をめぐってロシアと対立した。こうした情勢を背景に、日露戦争では、イギリスやアメリカが日本を、フランスがロシアを援助した（ドイツとロシアは三国干渉の後、バルカン半島などをめぐって対立した）。日本はイギリスやアメリカに依頼して巨額の戦費を調達して総力を挙げて戦争に挑み、また、ロシア国内の混乱もあって、日本の優勢で戦争は進んでいった。結局、日露戦争はアメリカの仲介によって、日本とロシアが「ポーツマス条約」を結んで終結したが、日本は大きな犠牲を払ったにもかかわらず、賠償金を取れないなど、さほど大きな戦果は得られなかった。このことは国民の不満を招き、東京では暴動も発生した（日比谷焼打ち事件）。

◀イギリスが日本をけしかけて、ロシアと戦わせようとしている様子を描いた風刺画。右端はアメリカ

ビゴー画

豆知識

日本で映画の上映が始まったのは1897（明治30）年頃のこと。ただ、次第に人気は下火になっていった。そんな中、日露戦争に同行したカメラマンが撮影したニュース映像をプログラムとして劇場で流したところ大人気となり、これをきっかけに映画産業が急成長していった。

203

47 不平等条約の完全撤廃に成功した 小村寿太郎

活躍した時代：明治時代
生没年：1855〜1911年

シルクハット
男性の礼装に用いられた帽子。1797年にロンドンのヘザリントンという帽子商がつくったものが始まりだといわれる。

時代の流れ

陸奥宗光による条約改正で、日本と諸外国との関係は一歩前進した。しかし、関税自主権（貿易の際、自国で税率を決めること）の完全回復までは果たせなかった。陸奥の後を引き継いだ外務大臣・小村寿太郎は、不平等条約の完全撤廃を実現させ、明治日本の悲願を達成した。

小村寿太郎の人物像

明治時代　小村寿太郎

　小村寿太郎は日向国（宮崎県）の飫肥藩士の子に生まれた。小村は小柄でやや病弱な少年であったが、負けず嫌いの努力家だった。16歳の時、「成績優秀な者」として、藩の推薦で東京の大学南校（後の東京大学）に入学、21歳で文部省の留学生として、アメリカのハーバード大学で学んだ。留学時代は法律を勉強し、英語やフランス語などの語学も身につけた。

　帰国後、司法省を経て外務省に入った小村は、外務大臣・陸奥宗光にその頭脳と語学力を認められ、清の臨時代理公使に抜擢された。その後、桂太郎内閣の外務大臣となった小村は日英関係の強化を推し進め、1902（明治35）年に**日英同盟**を締結。そして日本は日露戦争へと突入する。

　1905（明治38）年、日露戦争の講和のため、小村は日本の全権としてアメリカのポーツマスに赴き、ロシアとの間で**ポーツマス条約**を結んだ。その後、イギリス大使を務め、1908（明治41）年、再び外務大臣となった小村は、条約改正に取り組んだ。そして1911（明治44）年、ついにアメリカとの間で関税自主権を回復した「日米通商航海条約」を結び、その年の間にすべての列強とも同様の条約を結んだ。

　こうして、幕末に結んだ「日米修好通商条約」から53年の歳月を経て、日本はすべての不平等条約を完全撤廃することができた。

🔑 キーワード

▶日英同盟

1902（明治35）年に日本とイギリスとの間で結ばれた軍事同盟。ロシアの南下政策に対抗して、日英間の軍事支援が約束された。

▶ポーツマス条約

日本全権の小村と、ロシア全権ウィッテとの間で調印された日露戦争の講和条約。（1）日本の朝鮮における利権の承認、（2）旅順・大連の租借権、（3）南満州鉄道と沿線の利権、（4）北緯50度以南の樺太（サハリン）の割譲などが認められたが、ロシアから賠償金を得ることはできなかった。

205

貧乏だった「ネズミ公使」

　小村は、当時の政治家でもっとも貧乏だった1人だ。親が事業で失敗し、その借金を引き継いだのが理由だが、金目のものはすべて借金取りに持っていかれ、家財道具はいっさいなく、家には座布団が2枚あるだけだったという。着るものは、夏も冬も1着のフロックコートで通した。

　清の臨時代理公使として出発しようとする小村に、餞別として友人が時計を贈ろうとした時、小村は「どこで借金取りが見ているかわからない。もらった途端、借金のかたにすぐ取られてしまう」と話したという。

　そんな小村は、清の臨時代理公使時代、列強の外交団から「ラット・ミニスター」(ネズミ公使)とあだ名をつけられた。身長が150センチメートル程度と小柄だったためだ。しかし、度胸は大きかった。あるパーティーの席で、清の大臣・李鴻章が小村をからかって、「日本人はみんな閣下のように小さいのですか?」と聞いてきた時、小村は「いいえ、閣下(李)のように大きな者もおりますが、我が国には『大男総身に知恵が回りかね(体ばかりが大きくて知恵が回らない)』という諺があり、大きな者には国の大事を任せないのです」と切り返した。李鴻章は返す言葉がなく、引き下がったという。

▲ポーツマスで歓迎を受ける小村(中央でステッキを持った人物)。外国人に比べると非常に小柄だ

宴会に勝手に参加!

　貧乏だった小村は、外務省でたびたび行われていた宴会の会費を払うことができなかった。それでも小村は「後払いにするよ」と言って、大いに食べて飲んだ。そんな小村に幹事は宴会の日時を教えない時もあった。しかし、小村はどこで聞きつけたのか、毎回宴会に参加した。

もっと知りたい

日本の条約改正への取り組み

明治時代
小村寿太郎

日本は小村の時代に、ようやく諸外国との条約改正に成功した。じつに半世紀にわたる取り組みの結果、成し遂げられたものだった。ここでは、明治政府の条約改正への道のりを見てみよう。

岩倉使節団
1871～1873（明治4～6）年。岩倉具視を全権として、アメリカやヨーロッパ諸国を回って条約改正交渉を重ねるが、失敗。

外務卿・寺島宗則
1878（明治11）年、アメリカとの条約改正交渉では進展を見せたが、イギリスなどの反対にあって失敗。

外務大臣・井上馨
1879～1887（明治12～20）年在任。領事裁判権の撤廃に向け、「日本国内での外国人の住居や旅行の自由などを認める。外国人判事を任用する」ことなどを条件に、交渉を進めようとしたが、国内の反対を受けて辞職。

外務大臣・大隈重信
1888～1889（明治21～22）年在任。大審院に限り外国人判事を任用するとして条約改正を目指すが、テロで重傷を負い辞任。

外務大臣・青木周蔵
1889～1891（明治22～24）年在任。ロシアの東アジア進出を警戒するイギリスは条約改正に理解を示すも、青木の辞任で中断。

外務大臣・陸奥宗光
1894（明治27）年、イギリスとの「日英通商航海条約」を皮切りに、領事裁判権の撤廃に成功！

外務大臣・小村寿太郎
1911（明治44）年、アメリカとの「日米通商航海条約」を皮切りに、関税自主権を取り戻すことに成功！

豆知識

将棋で歩兵などの弱い駒が敵陣に入り、強い金将の働きをすることを「成金」というが、わずかな期間で金持ちになった人もこう呼ばれる。日露戦争時、鈴木九五郎という人物が一夜で1千万円（現在の約2千億円）を相場で儲け、「成金鈴九」と呼ばれたのが最初だという。

48 平塚らいてう(ちょう)

女性の地位向上を目指した運動家

活躍した時代：大正時代
生没年：1886〜1971年

断髪

ショートカットのこと。この時代は、「髪を切るのは夫に死なれた夫人」というイメージがあり、断髪にするのは勇気がいることだった。

時代の流れ

明治から大正へと時代が変わろうとする中、近代的な生活スタイルが広がり、人々は自由な雰囲気を楽しんでいた。しかし、女性の立場は昔と変わらず、古い常識や慣習に閉じ込められていた。そんな女性たちのために立ち上がったのが、平塚らいてうだった。

平塚らいてうの人物像

平塚らいてうの本名は明という。らいてうは雷鳥をかなにしたペンネームだ。明治時代の中頃、東京の裕福な家庭に生まれたらいてうは、父の言いつけで女学校に進んだものの、当時の女学校で行われていた、いわゆる**良妻賢母教育**になじめなかった。この時代の女性たちは、「良き妻、良き母」になることが第一とされ、女性の権利は、男性とは比べ物にならないほど認められていなかった。らいてうはそのような社会に疑問を持ち、女性の自由を求めて行動を起こしていく。

1911（明治44）年、らいてうは女性だけの文学グループ「青鞜社」をつくり、日本で初めての婦人雑誌『青鞜』を創刊した。らいてうはここで女性の恋愛や結婚の自由を説いた。

時代は明治から大正となり、民主主義の考え方が広がり、人々はより自由な生き方や権利を求めていった。**大正デモクラシー**と呼ばれるこの風潮の中、1920（大正9）年、らいてうは日本で最初の女性団体となる「新婦人協会」をつくり、女性の参政権などを求めた。やがて**普通選挙法**が成立し、男性には選挙権が与えられたが、女性には与えられなかった。らいてうは明治、大正、昭和という時代を生き、女性の地位向上を目指した。女性の参政権は、1945（昭和20）年になってようやく認められた。

🔑 キーワード

▶良妻賢母教育

1899（明治32）年の「高等女学校令」で定められた女子教育は、学問や教養よりも家事や行儀作法などを重視する、いわゆる良妻賢母教育だった。

▶大正デモクラシー

大正時代、人々が自由と権利をより強く求めた風潮のことをいう。普通選挙運動や、労働者や女性の権利を求める運動などが盛り上がった。

▶普通選挙法

1925（大正14）年、満25歳以上のすべての男性に衆議院の選挙権が与えられた。しかし、女性には与えられなかった。

大正時代

平塚らいてう

女性はどう生きるべきか？

　らいてうが生きた時代は、親の決めた相手と結婚し、女性が男性の家に入るのが当たり前だった。らいてうはそんな結婚制度に疑問を持ち、27歳の時に、年下の画家・奥村博史と婚姻届を出さずに同居するという方法を選んだ。奥村にはほとんど収入がなかったので、らいてうは原稿を書き、子育てをし、時には質屋に通って一家の家計を支えた。らいてうは2人目の子どもを育てていた時、もともと体が弱かったうえに、お金の苦労が重なったため、母乳が出なくなってしまい、この時から「母性保護」の考え方を持つようになった。これは、「子育て中の母親は、国がお金を出して面倒をみるべき」という考え方だが、らいてうのこうした考え方に反論したのが、歌人・与謝野晶子だった。
　晶子は、「女性が男性の奴隷でなくなるためには、経済的にも人格的にも自立する必要があり、国家に保護を求めるのはよくない」と主張した。一方のらいてうは、「それは空論で、人類の未来のために、国家は母性を保護する必要がある」と主張した。これは当時の文化人らも巻き込んで大きな論争となった。現在でも、女性の働き方と子育てのあり方については議論が続いている。

▲女子高等師範学校（現・お茶の水女子大学）附属高等女学校の運動会の様子。「動物採取競争」「髪結競争」など現代の運動会には見られない競技も描かれている。らいてうもこの女学校に通っていた
国立国会図書館

海賊にあこがれる！

　女学校時代、らいてうは友人たちと組んだグループを「海賊組」と名付けた。歴史の時間に学んだ海賊「倭寇」の、荒々しい性格や自由奔放な行動が気に入ったからだという。そこには、女性らしさを押し付ける当時の世の中に対する、激しい反発心が見てとれる。

もっと知りたい 「新しい女」が活躍した大正時代

大正時代 平塚らいてう

古い考え方や習慣を打ち破っていく進歩的な女性を、らいてうは「新しい女」と呼び、この言葉は流行語となった。明治時代は近代化が進んだ時代だったが、それが広く一般大衆にまで定着したのが大正時代だった。それにともない女性の社会進出も増えていった。

変わり始めた人々の暮らし

職業婦人が活躍した！

大正時代には「電話交換手」や、タイプライターを打つ「タイピスト」、バスの車掌「バスガール」などの新しい職業ができ、外で働く女性が増えた。このような新しい職業につく女性は「職業婦人」と呼ばれた。

近代的（モダン）な若者！

都市部では、洋服を着て、おしゃれを楽しむ人々が増えた。時代の先端をいく若い女性たちは「モガ」（モダンガール）、男性たちは「モボ」（モダンボーイ）と呼ばれた。

庶民の憧れ「デパート」！

大正時代、高島屋や大丸などの有名呉服店が相次いでデパート化した。庶民の憧れのデパートには高級品がずらりと並び、人々がつめかけた。

会社で働く男性の「サラリーマン」が増えて妻として家事をする女性を「主婦」と呼ぶようになったのもこの時代よ

▲当時のカフェー。左の男性がかぶっている「カンカン帽」は大正時代の流行

豆知識

らいてうは女学生時代、テニス部で活動した。日本にテニスが入ってきたのは明治時代半ばの1880年頃。当時、日本では硬式のボールが手に入らなかったため、ゴムボールを使ったソフトテニス（軟式テニス）が普及した。日本生まれのソフトテニスは、今では世界で楽しまれている。

49 野口英世

細菌と戦い続けた不屈の医学者

活躍した時代：大正時代
生没年：1876〜1928年

試験管
実験で何百本も試験管を使った英世だが、不純物が混ざるミスなどが起こった場合、人のせいにしたくないと、絶対に他人に触らせなかった。

時代の流れ
日本の開国で欧米との交流が深まると、日本の科学技術は大きく進歩していった。医学の分野では、細菌学を研究した北里柴三郎を筆頭に、世界的な業績を上げる者も現れ始めた。野口英世も世界的に活躍した医学者の1人だった。

野口英世の人物像

野口英世は福島県猪苗代湖畔の貧しい農家に生まれた。赤ん坊の頃、自宅のいろりに落ちて大やけどを負い、左手が開かなくなってしまったが、そのハンデに負けず勉強に励んだ。16歳の時、英世は学校の先生や友人らの寄付によって左手の手術を受け、手が開くようになった。これに感激した英世は、医学の道に進もうと決心。ほとんど独学で医学の勉強に打ち込み、日本を代表する医学者・北里柴三郎の伝染病研究所の助手として医学研究者の道を歩み始めた。

1900（明治33）年、英世はアメリカに渡り、蛇毒の研究で成果をあげたのを機に、世界的に有名な**ロックフェラー医学研究所**の職員となった。そこで英世は進行性麻痺という病気と**梅毒**との関連性を立証し、ノーベル医学賞候補として名前が挙げられるほどになった。医学研究者として名声を得た英世は、当時、南米やアフリカで流行していた**黄熱病**の研究のため、南米のエクアドルに渡る。そして1918（大正7）年、黄熱病のワクチンを開発。これにより南米での黄熱病は減少したが、アフリカではそのワクチンが効かないとの情報がもたらされた。そこで英世は1928（昭和3）年、アフリカのガーナを訪れ、再び黄熱病の研究に挑んだが、自分が黄熱病に感染。その地で亡くなった。

キーワード

▶ロックフェラー医学研究所

現在のロックフェラー大学。1901年、アメリカの石油王ジョン・ロックフェラーがニューヨークに設立。これまでに20人以上を超えるノーベル賞受賞者が輩出している。

▶梅毒

脳や神経が侵され、精神障害などを引き起こす感染症。原因は梅毒スピロヘータという細菌にあるが、当時、治療法は確立されていなかった。

▶黄熱病

おもに熱帯地方で流行していた感染症。英世の時代には、蚊によって広まることが分かっていたが、その原因も治療法も不明だった。

当時の顕微鏡では見えなかった

　野口英世の人生を貫いていたのは並外れた集中力と向学心だ。子どもの頃、風呂場まで英語の教科書を持ち込み、夢中で読んでいた英世は、せっけんと軽石を間違えて友人の背中をこすったという。実験を始めれば、結果が出るまであきらめず粘り強く取り組む姿に、仲間の研究員は、「ノグチはいつ眠るのか？」と驚き、「24時間主義者」や「人間発電機」などとあだ名をつけた。研究のために訪れた南米やアフリカでも、病気への感染も恐れず研究に打ち込む姿が、人々の尊敬と感動を集めた。

　英世はそのような驚くべき情熱で、黄熱病の研究に取り組み、原因となる細菌を発見したと発表したが、その後、誤りだと批判された。それに反論しようと渡ったアフリカで、英世は自ら黄熱病にかかり、亡くなってしまう。英世の最後の言葉は「わたしにはわからない……」だった。

　英世の時代、多くの病気の原因は細菌とよばれる小さな生物の影響だと考えられていた。しかし、なかにはいくら調べても原因となる細菌が見つからない病気もあった。後に、そうした病気の原因は、細菌よりもずっと小さい、ウイルスと呼ばれるものの影響だと判明したが、英世が研究に打ち込んでいた当時の顕微鏡では確認できないものだった。

▲黄熱病の研究のために訪れたエクアドルやガーナで英世の切手が発行された。今も現地の人たちは英世を慕い続けている

私生活はだらしない！？

　研究への厳しさとは対照的に、英世の私生活はだらしなかった。アメリカ行きを願った若い頃、恩師・血脇守之助の尽力で渡航費用を集めたが、仲間との送別会の席で調子に乗り、一晩で使い切ってしまった。慌てた英世から相談を受けた血脇は、再びお金を工面してくれた。

もっと知りたい 世界に躍り出た日本の科学者

大正時代 野口英世

明治時代に、欧米諸国から招いた技術者や学者などから教えを受けたり、海外留学したりして学問を身につけた日本人たちの手によって、世界に誇る研究成果が次々と誕生した。とくに医学・自然科学の分野での活躍はめざましかった。ここではそんな日本人を紹介しよう。

薬学　破傷風の治療法を発見！
北里柴三郎（1852〜1931年）

ドイツに留学して細菌学の父・コッホの下で学ぶ。破傷風菌の純粋培養に世界で初めて成功し、治療法も発見。伝染病研究所や北里研究所を設立した。
【破傷風】傷口から体内に菌が入り、けいれんなどを起こす病気。命を落とすこともある。

薬学　世界初のビタミン分離！
鈴木梅太郎（1874〜1943年）

脚気の防止に有効な成分が米ぬかに含まれていることに注目。抽出した「オリザニン（ビタミンB_1）」は、世界初のビタミン分離成功と注目された。
【脚気】ビタミンB_1不足で起こる、手足がしびれて心臓の働きが弱くなる病気。

物理学　原子モデルの先駆け！
長岡半太郎（1865〜1950年）

原子の構造を研究し、中央に原子核があり、その周りを電子が回っている「土星型原子模型」を世界に先駆けて提唱。現在、教科書に載っている原子モデルの基となった。原子物理学という新しい学問領域を開拓。

物理学　世界最強の磁石鋼！
本多光太郎（1870〜1954年）

当時、世界最高の磁力を持つKS磁石鋼を発明。東北帝国大学（現・東北大学）に金属材料研究所を設立。
【磁石鋼】磁力を持った鉄の合金。発電機や電気機器に使われ、磁力が強いほど大きな力を出せる。

豆知識　野口英世は「野口清作」という名だったが、改名した。当時、流行していた小説の「野々口精作」という名の主人公が、だらしない生活を送ってダメ人間になるという話にショックを受けた英世は、恩師の小林栄に相談して、「世界の英傑になれ」と「英世」の名をもらったのだ。

日本を太平洋戦争へ突入させた軍人総理

50 東条英機

活躍した時代：昭和時代
生没年：1884〜1948年

軍服

東条の軍服は軍からの支給ではなく、自分で仕立てたもの。右胸の金鵄勲章は戦場で活躍した軍人だけがもらえた。

※東条英機の苗字の漢字は「東條」ですが、ここでは教科書などに合わせて「東条」の表記を使用しています。

時代の流れ

　近代国家への歩みを進めてきた日本は、世界の一等国として認められるようになった。軍事力を背景に他国を侵略して、勢力を拡大する「帝国主義」が世界に広がる中、日本も中国や東南アジアへと勢力を拡大していった。そして、太平洋戦争へと突入した。

東条英機の人物像

昭和時代　東条英機

　東条英機は、昭和前期、日本が太平洋戦争を始めた時の総理大臣だ。東京生まれの東条は、陸軍の軍人を務める父のもと、立派な軍人になるため勉強に励み、陸軍幼年学校、陸軍士官学校、陸軍大学校と順調に進学し、エリート軍人への道を駆け上がった。10歳の時に日清戦争が起こり、その後、日露戦争、**第1次世界大戦**、**満州事変**と進む中、やがて日本は軍国主義化していく。東条が生きた時代はまさに、戦争の時代だった。

　1937（昭和12）年、日中戦争が起こると、中国との戦いは出口の見えない泥沼と化し、また、中国における日本の勢力拡大を快く思わない列強との関係もこじれていった。1939（昭和14）年、ドイツがポーランドに侵攻し、**第2次世界大戦**が勃発。こうした中、東条は出世を重ねて陸軍大臣となる。中国での戦線を拡大して暴走する陸軍を抑えることや、日本への強力な経済封鎖を行うアメリカとの関係修復を期待され、1941（昭和16）年、首相に任命された。東条はアメリカとの交渉でなんとか妥協点を見いだそうとしたが、決裂。アメリカとの戦争を決断し、日本は太平洋戦争へと突入した。4年後、戦争は日本の敗北で終わり、1948（昭和23）年、東条は極東国際軍事裁判（東京裁判）で、戦争犯罪人として死刑判決を受け、その年のうちに処刑された。

キーワード

▶第1次世界大戦
1914～1918年に起こった世界的な戦争。ドイツ・オーストリアなどの同盟国と、イギリス・フランスなどの連合国が戦い、日本も連合国側で参戦。

▶満州事変
1931（昭和6）年、日本軍が満州の柳条湖で起こした鉄道爆破事件をきっかけに満州全体を占領。「満州国」の建国に至った一連の戦争を指す。

▶第2次世界大戦
1939～1945年、日本・ドイツ・イタリアなどの枢軸国と、アメリカ・イギリス・ソ連（現在のロシア）などの連合国との世界的な戦争。

217

敵の飛行機は気迫で落とす！

　太平洋戦争は、戦争の当初こそ日本の有利に進んだが、戦況が悪化し始めると、東条は「日本人は最後の場面に追いつめられると、何くそと驚異的な頑張りを出すことを私は信じて疑わない」と、しきりに精神論を唱えるようになった。あげくに「敵の飛行機は機関銃や高射砲ではなく、気迫で落とすものだ」とまで言い出した。根拠のない精神論を唱える東条に、まわりの者の心は離れ、東条は孤立していった。さらに日本の敗戦が濃厚になってくると、政府の内外で東条を辞めさせろという声が大きくなり、戦争の終結を見る前に東条内閣は倒れた。

　1945（昭和20）年8月15日、東条は、自宅で家族とともに敗戦を告げるラジオ放送を聞くと、膨大な量の執務記録などを焼き捨てた。その後、東条は戦争の責任者として処罰されることとなり、連合国軍の憲兵が東条を逮捕しにきたことを知ると自分の胸をピストルで撃ち抜いた。しかし、アメリカ人軍医の応急処置で一命を取りとめた。連合国側は、何としても東条を戦争犯罪人として裁判にかけたかったのだ。A級戦犯（重大戦争犯罪人）として極東国際軍事裁判（東京裁判）にかけられた東条への判決は、絞首刑であった。

▶東条が唱えた精神論をもとにつくられた広告ポスター。毎日頑張れば、2＋2を5にも、7にも、果ては80にもすることができると主張した

「大東亜共栄圏」の理想

　戦時期に日本が掲げた理想が「大東亜共栄圏」だ。当時、アジアのほとんどの国は欧米列強に支配されていた。そこで日本は、アジアから欧米を追い出して、アジアの諸民族で栄えようと唱えた。しかし実際は、欧米を追い出した日本が、欧米の代わりに支配を強めていった。

もっと知りたい　戦争へ突き進んだ日本の軍国主義

昭和時代　東条英機

　日清・日露戦争後、世界の一等国の仲間入りを果たした日本は、第1次世界大戦に参戦し、中国での利権などを拡大した。一時的に好景気が訪れたが、やがて世界的な不況となり、国内に失業者があふれだした。そこで日本は、豊かな資源がある満州に目を向けた。日本は満州事変で満州を占領し、満州国をつくって実質的な支配を始めたが、これは国際社会から大きな非難をあびることとなり、日本は「国際連盟」を脱退、世界から孤立していった。そして、軍事が何より優先される軍国主義へと突き進み、中国との戦争を開始した。

　一方ヨーロッパでは、1939年、ドイツがイギリスなどを相手に戦争を開始し（第2次世界大戦）、フランスを占領するなどの快進撃を見せると、日本はドイツ・イタリアと日独伊三国同盟を結び、アメリカ・イギリスとの対立を決定的にした。アメリカは日本への石油や鉄などの輸出を禁止し、また、中国を含めたアジアから、日本が完全に手を引くことを求めた。日本はすべての権益を捨て去るか、アメリカと戦争をして解決するか、どちらかの選択しかなくなった。こうして太平洋戦争に突入していったのだ。

◀原爆ドーム（広島市）。1945（昭和20）年8月6日、アメリカは広島に原子爆弾を落とした。8月9日には長崎にも投下し、日本は無条件降伏することになった

豆知識　開戦前、太平洋上にいた機動部隊に「新高山登レ一二〇八」という暗号が届いた。12月8日に真珠湾を攻撃せよという意味だが、この新高山は、台湾にある「玉山」のこと。当時、台湾は日本領だったので、富士山より標高の高い玉山が「日本一高い山」だったのだ。

近現代

近代化に突き進んだ明治時代

　幕末、欧米諸国の進んだ文明を目の当たりにした日本は、彼らに負けない国づくりを進めるため、江戸時代の古い体制を壊しました。こうして始まった明治時代は、国を豊かにして、外国に負けない軍備を整える「富国強兵」をテーマとして、さまざまな改革に突き進んでいった時代でした。全国の支配体制（廃藩置県）、軍備（徴兵令）、教育（学制）、税制（地租改正）などの改革を行って中央集権体制を確立し、憲法（大日本帝国憲法）も定め、また、西洋文明を積極的に取り入れて近代化を推し進めていきました。日清戦争、日露戦争という2つの外国との戦争に勝利した日本は、国際的な地位を高め、幕末に結んだ諸外国との不平等条約を完全に撤廃することにも成功しました。やがて日本は世界から認められる強国の1つとなりました。

大正、昭和、そして平成へ……。

　大正時代に入ると、ヨーロッパを中心に第1次世界大戦が起こり、これに参戦した日本は戦勝国側の一員として、さらに国際的な発言力を高めていきました。ヨーロッパに向けた輸出の拡大でたいへんな好景気に沸く国内で、人々に民主主義という考え方が広がったのもこの時代でした。「大正デモクラシー」と呼ばれる、自由や平等を求める風潮の中で普通選挙法が成立し、人々は自由な雰囲気を楽しみました。しかし、昭和に入ると、世界的不況が訪れました。資源も市場も少ない日本は、満州（中国東北部）に進出することでこの事態を打開しようと考え、中国との戦争に突入していきました。やがてヨーロッパでドイツが第2次世界大戦を引き起こすと、日本も太平洋戦争へと突き進み、敗れました。
　敗戦後の日本は、2度と悲惨な戦争はしないと誓い、平和国家として歩み始めました。そして、奇跡的な経済復興を成し遂げ、世界をリードする経済大国に発展したのです。

あ

明智光秀 あけちみつひで ………… 7, 111, 113, 114, 115, 116
足利尊氏（高氏）あしかがたかうじ
………………………… 6, 71, 84, 85, 86, 87, 88, 89, 108
足利義政 あしかがよしまさ ……… 6, 71, 92, 93, 94, 95, 96, 99
足利義満 あしかがよしみつ
…………………… 6, 71, 85, 88, 89, 90, 91, 92, 93, 96, 99, 108
飛鳥文化 あすかぶんか ……………………………………… 17
安土城 あづちじょう ………………………………… 111, 112
安政の大獄 あんせいのたいごく ……………………… 8, 153

い

井伊直弼 いいなおすけ ……………………………… 8, 153, 157
イエズス会 いえずすかい ……………………… 100, 101, 103
板垣退助 いたがきたいすけ…8, 163, 185, 187, 188, 189, 190, 191
乙巳の変 いっしのへん ………… 4, 18, 24, 25, 28, 29, 30
一遍 いっぺん ……………………………………………… 6, 79
伊藤博文 いとうひろぶみ
………………… 8, 163, 185, 187, 192, 193, 194, 195, 197
伊能忠敬 いのうただたか ……… 7, 109, 146, 147, 148, 149
岩倉使節団 いわくらしせつだん …… 165, 173, 177, 178, 207
院政 いんせい ……………………………… 5, 63, 65, 70

う

上杉謙信 うえすぎけんしん ………… 7, 105, 107, 110
浮世絵 うきよえ ………………………… 135, 136, 137
歌川広重（安藤広重）うたがわひろしげ（あんどうひろしげ）
…………………………… 8, 109, 134, 135, 136, 137

え

栄西 えいさい ………………………………… 6, 79, 98
江戸幕府 えどばくふ …… 108, 118, 119, 120, 121, 122, 123,
   125, 130, 142, 158, 159, 162, 168, 171, 182

お

応仁の乱（応仁・文明の乱）おうにんのらん
（おうにん・ぶんめいのらん）…… 6, 93, 94, 95, 97, 102, 104, 108
大岡忠相 おおおかただすけ ……………………………… 133
大王 おおきみ …………………… 11, 16, 17, 19, 25, 32
大久保利通 おおくぼとしみち
……………… 8, 163, 165, 173, 176, 177, 178, 179, 193
大隈重信 おおくましげのぶ
………………… 8, 163, 184, 185, 186, 187, 189, 207
大坂城 おおさかじょう ………………………… 115, 161
大坂の陣（大坂冬の陣・大坂夏の陣）おおさかのじん
（おおさかふゆのじん・おおさかなつのじん）……… 7, 119
桶狭間の戦い おけはざまのたたかい ……… 7, 111, 119
織田信長 おだのぶなが …… 7, 105, 107, 108, 109, 110, 111,
   112, 113, 114, 115, 119, 120, 162
小野妹子 おののいもこ …………… 4, 11, 17, 20, 21, 22, 23

か

海援隊 かいえんたい ……………………… 155, 156, 197
海軍操練所 かいぐんそうれんじょ …………………… 159
解体新書 かいたいしんしょ ………………… 7, 143, 144
学問のすゝめ がくもんのすすめ……………… 8, 180, 181, 182
化政文化 かせいぶんか ………………………… 134, 135
刀狩 かたながり ……………………………………… 115
勝海舟 かつかいしゅう ………8, 109, 158, 159, 160, 161, 174

葛飾北斎 かつしかほくさい ……………………… 135, 137
歌舞伎 かぶき ……………………… 126, 127, 128, 129, 162
鎌倉幕府 かまくらばくふ
……………… 6, 67, 70, 71, 72, 73, 74, 75, 81, 82, 85, 87, 108
鎌倉仏教 かまくらぶっきょう ………………………… 79
観阿弥・世阿弥 かんあみ・ぜあみ ……………………… 99
冠位十二階 かんいじゅうにかい ………… 4, 16, 17, 19, 53
鑑真 がんじん…………………… 5, 33, 35, 42, 43, 44, 45
寛政の改革 かんせいのかいかく ………………… 7, 132
関白 かんぱく ……………………… 7, 50, 51, 55, 70, 115
桓武天皇 かんむてんのう ……………… 33, 46, 63, 70
咸臨丸 かんりんまる ……… 8, 159, 160, 161, 181, 182

き

北山文化 きたやまぶんか ……………………… 96, 99, 108
木戸孝允（桂小五郎）きどたかよし（かつらこごろう）
………………… 8, 163, 164, 165, 166, 167, 169, 193
行基 ぎょうき ………………………… 5, 33, 37, 38, 39, 40
享保の改革 きょうほうのかいかく ……………… 7, 131, 132
極東国際軍事裁判（東京裁判）
きょくとうこくさいぐんじさいばん(とうきょうさいばん)… 217, 218
キリシタン きりしたん ……………………………… 101
キリスト教 きりすときょう…7, 100, 101, 102, 103, 112, 123, 162
金閣 きんかく ………………………… 6, 88, 89, 90, 93, 99
銀閣 ぎんかく ………………………………………… 6, 93

く

空海 くうかい ……………………… 5, 33, 46, 47, 48, 49
黒船 くろふね ………………………………… 150, 151, 155

け

下剋上 げこくじょう ………………………………… 105
源氏物語 げんじものがたり ………… 5, 59, 61, 140
遣隋使 けんずいし ……………… 4, 17, 20, 21, 22, 25, 45
遣唐使 けんとうし ……………………………… 5, 44, 45
建武の新政 けんむのしんせい ……………… 6, 85, 87, 108
元禄文化 げんろくぶんか ……………………… 126, 127, 134

こ

公武合体政策 こうぶがったいせいさく ……………… 157
高野山金剛峯寺 こうやさんこんごうぶじ ……………… 47
五箇条の誓文 ごかじょうのせいもん ……………… 169, 170
国学 こくがく ……………… 138, 139, 140, 141, 162, 185
国分寺・国分尼寺 こくぶんじ・こくぶんにじ ……… 5, 35
御家人 ごけにん …… 73, 74, 79, 81, 82, 83, 84, 85, 108, 121
古事記 こじき ……………………………… 14, 139, 141
古事記伝 こじきでん ……………………… 7, 138, 139
後醍醐天皇 ごだいごてんのう … 6, 84, 85, 86, 87, 88, 91, 108
後藤象二郎 ごとうしょうじろう …………… 155, 156, 189
小村寿太郎 こむらじゅたろう… 9, 163, 198, 204, 205, 206, 207

さ

西郷隆盛 さいごうたかもり …… 8, 156, 159, 160, 163, 165,
   172, 173, 174, 175, 177, 178, 197, 201
最澄 さいちょう ………………………………5, 47, 49, 77
坂本龍馬 さかもとりょうま
………… 8, 109, 154, 155, 156, 157, 159, 160, 174, 197
桜田門外の変 さくらだもんがいのへん ………… 8, 153
鎖国 さこく …………………7, 109, 123, 142, 146, 150, 151
薩長連合 さっちょうれんごう ………… 8, 155, 165, 173

ザビエル ざびえる ……………7、71、100、101、102、103
参勤交代 さんきんこうたい …………………123、125、162
三国干渉 さんごくかんしょう ………………199、200、203

し

執権 しっけん……………………………6、80、81、108
執権政治 しっけんせいじ ………………………………108
島津久光 しまづひさみつ …………………………173、177
四民平等 しみんびょうどう ……………………………167
下関条約 しものせきじょうやく ………………………197
十七条の憲法 じゅうしちじょうのけんぽう…………4、17、19
自由党 じゆうとう ……………………187、189、191
自由民権運動 じゆうみんけんうんどう… 188、189、190、191、198
守護・地頭 しゅご・じとう ………………………6、73、75
守護大名 しゅごだいみょう …… 6、89、93、95、97、105、108
朱子学 しゅしがく ……………………141、162、185
松下村塾 しょうかそんじゅく …………………165、193
上皇 じょうこう ……………………63、65、70、75
聖徳太子（厩戸皇子）しょうとくたいし（うまやとのおうじ）
………………… 4、11、16、17、18、19、20、21、24、32、53
浄土宗 じょうどしゅう …………………………6、77、79
浄土真宗（真宗・一向宗）じょうどしんしゅう
（しんしゅう・いっこうしゅう）…………… 6、76、77、78、79
聖武天皇（上皇）しょうむてんのう（じょうこう）
…………………………5、33、34、35、36、37、38、43
殖産興業 しょくさんこうぎょう …………………178、179
真言宗 しんごんしゅう ……………………………5、46、47
親鸞（範宴・綽空・善信）
しんらん（はんねん・しゃっくう・ぜんしん）… 6、71、76、77、78、79

す

推古天皇 すいこてんのう …………………4、16、17、22
水墨画 すいぼくが ………………………………96、97
杉田玄白 すぎたげんぱく ……7、109、141、142、143、144、145

せ

征夷大将軍（将軍）せいいたいしょうぐん（しょうぐん）
………… 6、7、73、75、81、85、86、88、89、90、92、93、94、95、102、
108、111、113、118、119、120、121、122、123、124、125、130、
131、132、142、151、155、161、162、168、169、170、171、185
征韓論 せいかんろん ……………………………173、189
清少納言 せいしょうなごん ……5、33、54、55、56、57、59、60
青鞜社 せいとうしゃ ……………………………209
西南戦争 せいなんせんそう ……… 8、173、175、197、198
関ケ原の戦い せきがはらのたたかい……………7、118、119、162
摂関政治 せっかんせいじ …………… 5、51、63、64、70
雪舟 せっしゅう……………………6、71、96、97、98
摂政 せっしょう ……………… 4、16、17、18、50、51、70
戦国大名 せんごくだいみょう
…… 95、97、101、104、105、108、110、111、112、120、162
禅宗 ぜんしゅう …………………………79、97、98、99

そ

蘇我入鹿 そがのいるか …………… 4、18、24、25、28、29、30
尊皇攘夷 そんのうじょうい ………………………………155

た

第1次世界大戦 だいいちじせかいたいせん … 9、217、219、220
大化の改新 たいかのかいしん … 4、24、25、27、29、30、31
太閤検地 たいこうけんち ………………………………115

大正デモクラシー たいしょうでもくらしー ……… 209、220
大政奉還 たいせいほうかん
…… 8、155、157、158、159、161、169、171、177、185
第2次世界大戦 だいにじせかいたいせん ……… 9、219、220
大日本沿海輿地全図（伊能図）
だいにほんえんかいよちぜんず（いのうず）………… 7、147
大日本帝国憲法 だいにほんていこくけんぽう 8、191、193、195、220
太平洋戦争（大東亜戦争）たいへいようせんそう
（だいとうあせんそう）………9、163、216、217、218、219、220
大宝律令 たいほうりつりょう ………………… 5、25、32
平清盛 たいらのきよもり …5、33、62、63、64、65、66、67、70、73、75
高杉晋作 たかすぎしんさく …………………154、166
武田信玄（晴信）たけだしんげん（はるのぶ）
…………………7、71、104、105、106、107、110、120
太政大臣 だいじょうだいじん ……………… 5、63、89、90、115
壇ノ浦の戦い だんのうらのたたかい………………67、68、73

ち

近松門左衛門 ちかまつもんざえもん… 7、109、126、127、128、129
地租改正 ちそかいせい …………………167、173、220
長州征伐 ちょうしゅうせいばつ …………………………165
徴兵令 ちょうへいれい ………………167、175、179、220

て

出島 でじま……………………………… 7、152
天台宗 てんだいしゅう …………………5、47、49、77
天皇 てんのう… 5、16、17、19、21、25、32、41、50、51、61、63、70、
89、90、102、121、139、157、168、170、193、195
天平文化 てんぴょうぶんか ………………… 35、70
天保の改革 てんぽうのかいかく ………………… 8、132
天武天皇（大海人皇子）てんむてんのう（おおあまのおうじ）
………………………… 5、25、26、141

と

東海道五十三次 とうかいどうごじゅうさんつぎ… 8、135、136
道元 どうげん ……………………… 6、79、98
東郷平八郎 とうごうへいはちろう …… 9、163、200、201、202
東条英機 とうじょうひでき …… 9、163、216、217、218
東大寺 とうだいじ …………………… 5、35、43
倒幕運動 とうばくうんどう
…… 155、158、161、164、165、173、177、184、185、193
徳川家光 とくがわいえみつ …7、109、122、123、124、125、162
徳川家康 とくがわいえやす … 7、105、109、113、118、119、
120、121、122、124、125、160、162、182
徳川秀忠 とくがわひでただ ……………122、123、124
徳川慶喜 とくがわよしのぶ …… 8、155、161、171、185
徳川吉宗 とくがわよしむね …7、109、130、131、132、133、142
鳥羽・伏見の戦い とば・ふしみのたたかい ……… 8、159
富岡製糸場 とみおかせいしじょう ………………179
豊臣秀吉（羽柴秀吉・木下藤吉郎）
とよとみひでよし（はしばひでよし・きのしたとうきちろう）
………7、109、111、113、114、115、116、117、118、119、162、194

な

中臣鎌足 なかとみのかまたり … 4、11、24、25、28、29、30、31、50
中大兄皇子（天智天皇）なかのおおえのおうじ
（てんじてんのう）……… 4、11、24、25、26、27、28、29、30、31、32
生麦事件 なまむぎじけん ……………………157、201
南蛮文化 なんばんぶんか ……………………………103
南蛮貿易 なんばんぼうえき ……………………112、113

南北朝時代 なんぼくちょうじだい ……………………… 6、85

に

日英同盟 にちえいどうめい ……………………… 8、203、205
日独伊三国同盟 にちどくいさんごくどうめい ……… 9、219
日米修好通商条約 にちべいしゅうこうつうしょうじょうやく
……………………………………… 8、153、159、205
日米和親条約 にちべいわしんじょうやく………… 8、151、153
日明貿易／勘合貿易 にちみんぼうえき／かんごうぼうえき
…………………………………………………… 89、90
日蓮 にちれん…………………………………………… 6、79
日露戦争 にちろせんそう
……… 8、169、193、200、201、202、203、205、217、219、220
日清戦争 にっしんせんそう
……… 8、169、193、197、199、200、201、203、217、219、220
日中戦争 にっちゅうせんそう ……………… 9、163、217
人形浄瑠璃（文楽）にんぎょうじょうるり（ぶんらく）
………………………… 126、127、128、129、162

の

能 のう ………………………………………… 90、99
野口英世 のぐちひでよ …… 9、163、212、213、214、215

は

廃藩置県 はいはんちけん ……………… 8、165、167、177、220
箱館戦争 はこだてせんそう ……………………… 159、161
バルチック艦隊 ばるちっくかんたい ………… 9、201、202
版籍奉還 はんせきほうかん ……………… 165、167、177
班田収授法 はんでんしゅうじゅのほう ………………… 31
藩閥政治 はんばつせいじ …………… 185、188、189、191、198

ひ

比叡山延暦寺 ひえいざんえんりゃくじ………………… 47、77
東山文化 ひがしやまぶんか ……………… 93、96、99、108
卑弥呼 ひみこ ……………4、11、12、13、14、15、16、32
平賀源内 ひらがげんない ………………………………145
平塚らいてう ひらつからいてう …9、163、208、209、210、211

ふ

福沢諭吉 ふくざわゆきち ……8、143、161、163、180、181、182
武家諸法度（元和令）ぶけしょはっと（げんなれい）… 121、123
富国強兵 ふこくきょうへい ………… 163、176、177、179、220
藤原不比等 ふじわらのふひと ……… 29、31、35、36
藤原道長 ふじわらのみちなが
……………… 5、29、33、50、51、52、53、54、55、56、58、59、70
藤原頼通 ふじわらのよりみち ……………… 29、51、70
不平等条約の改正 ふびょうどうじょうやくのかいせい
……………………………………………… 186、198
フビライ ふびらい ………………………………… 80、81
文明開化 ぶんめいかいか …………………… 180、183

へ

平安京 へいあんきょう ……… 5、35、46、53、63、70
平治の乱 へいじのらん ……………… 5、63、65、67、73
平城京 へいじょうきょう ……… 5、34、35、41、46、70
ペリー ぺりー ………8、109、150、151、152、153、154

ほ

保元の乱 ほうげんのらん ……………… 5、63、65
北条時宗 ほうじょうときむね ………… 6、71、80、81、82、108

法然 ほうねん…………………………………… 6、77、79
ポーツマス条約 ぽーつますじょうやく …………… 203、205
戊辰戦争 ぼしんせんそう ………… 8、158、159、161、189、201
本能寺の変 ほんのうじのへん …… 7、111、113、115、116

ま

前野良沢 まえのりょうたく ………………7、141、143、144
枕草子 まくらのそうし ……………… 5、54、55、56、57
満州事変 まんしゅうじへん ……………… 9、217、219
万葉集 まんようしゅう ……………… 26、35、139

み

源義経 みなもとのよしつね … 6、33、66、67、68、69、73、74、75
源頼朝 みなもとのよりとも
…… 6、63、64、66、67、70、71、72、73、74、75、81、85、108
民撰議院設立建白書 みんせんぎいんせつりつけんぱくしょ
……………………………………………… 8、189、191

む

陸奥宗光 むつむねみつ ………8、163、196、197、198、205、207
紫式部 むらさきしきぶ ……………… 5、33、58、59、60
室町幕府 むろまちばくふ
……… 6、7、71、84、85、86、89、93、95、104、108、111、162

め

明治維新 めいじいしん ……………… 164、165、166、167、177
明治天皇 めいじてんのう
……… 8、163、168、169、170、171、174、183、193、202

も

本居宣長 もとおりのりなが ……… 7、109、138、139、140、141
モンゴル襲来（蒙古襲来・元寇）もんごるしゅうらい
（もうこしゅうらい・げんこう）… 71、80、81、82、84、108

や

山内豊信（容堂）やまうちとよしげ（ようどう）…………155
邪馬台国 やまたいこく ……………… 13、14、15、32
ヤマト政権（ヤマト王権、大和朝廷）やまとせいけん
（やまとおうけん、やまとちょうてい）……4、11、16、32

よ

与謝野晶子 よさのあきこ …………………………………210
吉田松陰 よしだしょういん ………………………………165

ら

楽市・楽座 らくいち・らくざ ………………………………112
蘭学 らんがく… 141、142、143、144、145、159、162、165、181、185

り

李鴻章 りこうしょう ……………………………………206
立憲改進党 りっけんかいしんとう ………… 185、187、191
律令国家 りつりょうこっか ………………………………… 25

わ

隈板内閣 わいはんないかく ……………… 185、189
倭寇 わこう …………………………………… 91、210
倭国 わこく…………… 4、13、17、19、20、21、22、23、24、28、32

■監修：山口 正

■執筆：チーム・ガリレオ（大宮耕一、中原 崇）

■カバー・人物２色イラスト：イセケヌ

■解説ページイラスト：横山みゆき

■図版協力：平凡社地図出版　エスプランニング　ウエイド

■本文デザイン：ウエイド

歴史漫画タイムワープシリーズ別巻
学習指導要領　完全対応 50人
重要人物で覚える日本の歴史

2018年 3 月30日　第1刷発行
2022年 8 月30日　第6刷発行

発行者　　片桐 圭子

発行所　　朝日新聞出版

　　　　　〒104-8011
　　　　　東京都中央区築地5-3-2
　　　　　電話03-5541-8833（編集）
　　　　　電話03-5540-7793（販売）

印刷所　　大日本印刷

©2018 Asahi Shimbun Publications Inc.
落丁・乱丁の場合は弊社業務部（電話03-5540-7800)へご連絡ください。
送料弊社負担にてお取り替えいたします。
本書は「歴史漫画タイムワープシリーズ」のセット特典です。
本書は 2013 年刊『学習指導要領　完全対応 50 人　重要人物で覚える日本の歴史』
を基にしています。

非売品